TU ES MOI

SARA SHEPARD

TU ES MOI

The Lying Game

volume 1

*Traduit de l'américain
par Isabelle Troin*

Titre original :
The Lying Game

Collection « Territoires » dirigée
par Bénédicte Lombardo

© 2012, Fleuve Noir, département d'Univers Poche,
pour la traduction française.
ISBN : 978-2-265-09413-0

Nous sommes ce que nous faisons semblant
d'être, aussi devons-nous choisir très soigneusement ce que nous faisons semblant d'être.

Kurt Vonnegut

Je me réveillai dans une baignoire à pieds d'une propreté douteuse, au fond d'une salle de bains carrelée de rose qui ne m'était pas familière. Une pile de *Maxim* se dressait près des toilettes ; il y avait des projections de dentifrice vert dans le lavabo et des traces blanchâtres sur le miroir.

Par la fenêtre, j'aperçus un ciel nocturne. La lune était pleine. Quel jour de la semaine étions-nous ? Et où me trouvais-je ? Dans la maison d'une des fraternités de l'Université d'Arizona ? Chez quelqu'un ? J'arrivais tout juste à me souvenir que je m'appelais Sutton Mercer, et que je vivais dans les collines de Tucson. Je n'avais pas la moindre idée de l'endroit où était mon sac à main, et je ne savais plus où j'avais garé ma voiture. À bien y réfléchir… j'avais quoi, comme voiture, déjà ? M'avait-on droguée ?

— Emma ? appela une voix masculine depuis une autre pièce. Tu es là ?

– Occupée ! claironna une voix féminine toute proche.

Une grande fille mince ouvrit la porte de la salle de bains. Ses cheveux bruns emmêlés lui tombaient devant la figure.

– Hé ! protestai-je en me levant d'un bond. Il y a déjà quelqu'un !

J'avais des fourmis dans tout le corps, et je me sentais bizarrement engourdie. Je baissai les yeux pour m'examiner. Il me sembla que je clignotais comme dans une lumière stroboscopique. *Flippant*, décidai-je. *C'est sûr : j'ai été droguée.*

La fille ne parut pas m'entendre. Elle tituba, le visage dans l'ombre.

– Houhou ? m'écriai-je en sortant de la baignoire. (Elle ne me jeta pas même un coup d'œil.) Tu es sourde, ou quoi ?

Appuyant sur la pompe d'un flacon de lait hydratant à la lavande, elle entreprit de s'en tartiner les bras.

La porte se rouvrit à la volée, et un ado mal rasé, au nez pointu, fit irruption dans la pièce.

– Oh ! (Son regard se posa sur le débardeur moulant de la fille, marqué « NEW YORK NEW YORK GRAND HUIT » sur le devant.) Je ne savais pas que tu étais là, Emma.

– C'est pour ça que la porte était fermée, répliqua la fille en le poussant dehors et en la lui claquant au nez.

Elle pivota vers le miroir. Je me tenais juste derrière elle.

– Hé ! m'exclamai-je de nouveau.

Enfin, elle leva les yeux. Je tournai mon regard vers le miroir pour croiser le sien... et je poussai un hurlement. Parce que Emma était mon sosie, et que je ne me voyais pas.

Emma se détourna et sortit de la salle de bains. Je la suivis comme si un fil invisible me reliait à elle. Qui était cette fille ? Pourquoi me ressemblait-elle à ce point ? Pourquoi étais-je invisible ? Et pourquoi ne pouvais-je me rappeler de... euh, de rien ?

Des souvenirs inconséquents mais douloureusement nostalgiques s'imposèrent à mon esprit. Le soleil scintillant sur les Catalinas. L'odeur des citronniers dans mon jardin le matin. La sensation de mes pieds glissant dans mes pantoufles en cachemire. Mais les choses les plus importantes restaient floues et assourdies, comme si j'avais passé toute ma vie sous l'eau.

Je voyais des formes trop vagues pour que je puisse les identifier. Je ne me rappelais pas ce que j'avais fait pendant mes vacances d'été, à qui j'avais donné mon premier baiser, ni ce que ça faisait de sentir le soleil sur mon visage ou de danser sur ma chanson préférée. D'ailleurs, quelle était ma chanson préférée ? Pire encore : à chaque seconde qui s'écoulait, les rares souvenirs que je gardais devenaient de plus en plus flous. Comme s'ils étaient en train de s'estomper et de disparaître.

Comme si j'étais, moi, en train de disparaître.

Alors, je me concentrai de toutes mes forces. J'entendis un cri étouffé, et une vive douleur me transperça le corps avant que mes muscles endormis finissent par capituler. Tandis que mes yeux se fermaient lentement, j'aperçus une silhouette sombre et indistincte qui me toisait.

– Oh, mon Dieu, chuchotai-je.

Pas étonnant qu'Emma ne m'ait pas vue. Pas étonnant que je ne me sois pas reflétée dans le miroir. Je n'étais pas vraiment là. *Plus* vraiment là.

J'étais morte.

1

UNE RÉPLIQUE MORTELLEMENT EXACTE

Son cabas en toile à l'épaule et un verre de thé glacé à la main, Emma Paxton sortit par la porte de derrière de la maison où vivait sa nouvelle famille d'accueil, à la lisière de Las Vegas. Non loin de là, des voitures filaient en grondant sur la voie rapide ; l'air était lourd de gaz d'échappement et des odeurs émises par l'usine de traitement des eaux usées.

Il n'y avait dans ce jardin pas d'autres décorations que de petits haltères poussiéreux, un tue-mouches électronique et des statues en terre cuite assez kitsch. Bref, rien à voir avec mon jardin de Tucson, qui était soigneusement paysagé et s'enorgueillissait de balançoires en bois. Petite, je m'amusais à faire comme si le portique était un château fort. Les détails dont je me souvenais et ceux qui s'étaient évaporés n'obéissaient décidément à aucune logique.

Depuis une heure, je suivais Emma en essayant de comprendre sa vie et de me rappeler la mienne. En même temps, je n'avais pas le choix. J'étais obligée d'aller partout où elle allait. Et j'aurais été bien en peine de dire comment je savais toutes ces choses sur elle – elles apparaissaient dans ma tête à la manière d'un texto dans une boîte de réception tandis que j'observais mon sosie. Je connaissais sa vie mieux que la mienne.

Emma laissa tomber son cabas sur la table de jardin en imitation fer forgé, s'affala sur une chaise en plastique et renversa la tête en arrière. La seule qualité de ce jardin, c'est qu'il tournait le dos aux casinos, et que rien ne venait boucher la vue sur le ciel. La lune semblable à une gaufrette d'albâtre boursouflée était suspendue au-dessus de l'horizon.

Le regard d'Emma dériva vers deux étoiles familières qui brillaient d'un éclat vif, à l'est. Quand elle avait neuf ans, Emma avait baptisé celle de droite la Maman-Étoile, celle de gauche le Papa-Étoile, et la plus petite en dessous l'Emma-Étoile. Elle s'était inventé toutes sortes d'histoires à leur sujet, se racontant que les deux premières étaient ses vrais parents et qu'un jour, ils seraient réunis tous les trois sur terre comme ils l'étaient dans le ciel.

Emma avait passé la plus grande partie de son existence dans des familles d'accueil. Elle n'avait jamais rencontré son père, mais elle se souvenait de sa mère, avec qui elle avait vécu jusqu'à l'âge de cinq ans. Elle s'appelait Becky ; c'était une femme mince qui adorait hurler les réponses de *La Roue de la Fortune*, danser dans le salon sur les chansons de

Michael Jackson et lire des journaux à sensation dont les gros titres clamaient : « UN BÉBÉ NÉ D'UNE CITROUILLE ! » ou « L'ENFANT CHAUVE-SOURIS A SURVÉCU ! ».

Souvent, Becky envoyait Emma à la chasse au trésor dans leur résidence. Le « butin » était toujours un bâton de rouge à lèvres usé ou un mini-Snickers. À l'Armée du Salut, elle achetait des tutus de danseuse et des robes ornées de dentelle pour qu'Emma puisse se déguiser. Avant que sa fille se couche, elle lui lisait *Harry Potter* en prenant une voix différente pour chaque personnage.

Mais Becky était comme un ticket de jeu à gratter : Emma ne savait jamais sur quoi elle allait tomber avec elle. Parfois, sa mère passait toute la journée à pleurer sur le canapé, le visage déformé et les joues ruisselantes de larmes. D'autres fois, elle traînait Emma au grand magasin le plus proche et lui achetait des choses en double.

– Pourquoi j'ai besoin de deux paires de chaussures pareilles ? demandait la fillette.

Une expression lointaine passait alors sur le visage de Becky.

– Au cas où tu salirais la première, Emmy.

Et elle pouvait être terriblement distraite, comme la fois où elle avait oublié Emma au Circle K.[1] La gorge nouée, la fillette avait regardé sa voiture disparaître dans les ondulations de chaleur qui s'élevaient de l'autoroute. Le caissier lui avait donné une glace à l'eau parfum orange et l'avait laissée s'asseoir sur

---

1. NdT : Chaîne de supérettes américaines.

le congélateur à l'avant de la boutique pendant qu'il donnait quelques coups de fil. Quand Becky avait fini par revenir, elle avait pris Emma dans ses bras et l'avait serrée très fort. Pour une fois, elle n'avait même pas râlé quand la fillette avait fait tomber de la glace fondue sur sa robe.

Peu de temps après – c'était toujours l'été –, Emma avait passé la nuit chez Sasha Morgan, une de ses copines de la maternelle. Quand elle s'était réveillée le lendemain matin, Mme Morgan se tenait sur le seuil de la chambre, l'air au bord de la nausée. Becky avait glissé un mot sous sa porte d'entrée, disant qu'elle était « partie faire un petit tour ». Drôle de petit tour, qui durait maintenant depuis plus de treize ans.

Comme personne n'avait réussi à retrouver Becky, les Morgan avaient fini par confier Emma à un orphelinat de Reno. Les adoptants potentiels ne voulaient pas d'une fillette de cinq ans : ils cherchaient tous un bébé dont ils pourraient faire une version miniature d'eux-mêmes.

Jamais Emma ne cesserait d'aimer sa mère, mais elle ne pouvait pas dire que Becky lui manquait – du moins, pas la Becky sanglotante, la Becky irrationnelle ou la Becky dans la lune. Par contre, avoir une mère lui manquait : une présence stable et constante, quelqu'un qui connaissait son passé, espérait le meilleur pour son avenir et l'aimait inconditionnellement. Elle avait inventé la famille d'étoiles, non pas en se basant sur ce qu'elle avait connu, mais sur ce qu'elle aurait voulu connaître.

La porte vitrée coulissa derrière elle, et Emma se retourna brusquement. Travis, le fils de sa nouvelle mère d'accueil, sortit de la maison et vint poser ses fesses sur le bord de la table.

– Désolé pour tout à l'heure, dans la salle de bains, dit-il.

– C'est pas grave, marmonna Emma en s'écartant discrètement des jambes tendues du jeune homme.

Elle aurait juré qu'il n'était pas désolé le moins du monde. Âgé de dix-huit ans, Travis se faisait un jeu d'essayer de la surprendre nue. Ce jour-là, il portait une casquette de base-ball bleue bien enfoncée sur son front, une vieille chemise à carreaux trop grande pour lui et un short en jean baggy dont l'entrejambe lui tombait presque jusqu'aux genoux.

Le bas de son visage aux lèvres minces et au nez pointu était couvert de poils clairsemés ; il n'était pas encore assez adulte pour se faire pousser une vraie barbe. Il plissa ses petits yeux marron injectés de sang d'une façon suggestive. Emma sentit son regard la détailler, depuis son débardeur moulant qui dénudait ses bras jusqu'à ses longues jambes bronzées.

Avec un grognement, Travis glissa une main dans la poche de sa chemise et en sortit un joint qu'il alluma. Comme il soufflait de la fumée dans la direction d'Emma, le tue-mouches électronique s'activa. Il y eut un léger grésillement, suivi par un bref éclat de lumière bleue, et un nouveau moustique succomba. Si seulement Travis avait pu en faire autant !

Pas si près, brûlait de lui dire Emma. *Tu pues le shit. Pas étonnant qu'aucune fille ne veuille t'approcher.* Mais elle se mordit la langue. Elle se contenterait d'ajouter sa réplique à la liste des « Vannes Que J'Aurais Voulu Balancer », dans le carnet à la couverture en tissu noir qu'elle planquait dans son tiroir du haut. Cette liste de vannes (VQ JAVB, en abrégé) rassemblait toutes les remarques spirituelles et sarcastiques qu'elle avait un jour eu envie de lancer à ses mères d'accueil, à ses voisins flippants, aux pétasses de son bahut et à un tas d'autres gens.

En règle générale, Emma tenait sa langue. Il valait toujours mieux ne pas se faire remarquer. Au fil du temps, la jeune fille avait développé des réflexes de survie assez impressionnants. À l'âge de dix ans, elle avait appris à esquiver les objets que M. Smythe, un père d'accueil soupe au lait, se mettait à lancer quand il piquait une crise. Plus tard, elle avait vécu à Henderson avec Ursula et Steve, deux hippies qui faisaient pousser leur nourriture mais ne savaient pas la cuisiner, si bien qu'elle avait à contrecœur appris à préparer des cakes à la courgette, des gratins d'aubergines et de délicieuses poêlées de légumes sautés.

Ça faisait tout juste deux mois qu'elle avait emménagé chez Clarice, une mère célibataire qui travaillait comme barmaid à l'Institut M, où elle servait des clients VIP. Emma avait passé l'été à prendre des photos, à se faire des marathons de Démineur sur le vieux BlackBerry que son amie Alex lui avait donné avant qu'elle quitte son précédent foyer d'accueil à Henderson, et à bosser à mi-temps au grand huit du casino *New York New York*. Oh, et à éviter Travis autant que possible.

Son séjour n'avait pas commencé ainsi. Emma avait d'abord essayé de copiner avec son nouveau frère d'accueil. Toutes les familles chez qui elle avait vécu n'étaient pas dysfonctionnelles, et parfois, elle était devenue amie avec les enfants de la maison. Mais cette fois, l'effort à faire la dépassait.

Elle avait tenté de s'intéresser aux vidéos que Travis regardait sur YouTube pour apprendre à devenir un petit voyou, des vidéos qui montraient comment déverrouiller une bagnole avec un téléphone portable, fracturer un distributeur de boissons ou faire sauter un cadenas à l'aide d'une cannette de bière. Elle avait enduré deux ou trois matches de Combat Ultime à la télé, et même commencé à apprendre le vocabulaire de la lutte.

Elle s'était ravisée au bout d'une semaine, quand Travis avait tenté de la peloter pendant qu'elle se tenait devant le frigo ouvert.

– Je vois bien que tu me cherches, lui avait-il murmuré à l'oreille avant qu'Emma lui balance « accidentellement » son genou dans l'entrejambe.

À présent, la jeune fille ne souhaitait plus qu'une chose : finir son année de terminale à Tucson. Ce jour-là, c'était la Fête du Travail ; l'école recommençait le mercredi. En théorie, Emma pourrait partir de chez Clarice quand elle aurait dix-huit ans, une semaine plus tard, mais ça l'obligerait à abandonner ses études, trouver un appartement et un boulot à plein-temps pour payer son loyer. Clarice avait dit à l'assistante sociale que la jeune fille pouvait rester chez elle jusqu'à ce qu'elle obtienne son diplôme. *Plus que neuf mois,* se répétait Emma en boucle. Elle arriverait bien à tenir jusque-là, pas vrai ?

Travis tira de nouveau sur son joint.

– T'en veux ? demanda-t-il d'une voix étranglée comme il retenait la fumée dans ses poumons.

– Non, merci, répondit Emma avec raideur.

Travis finit par exhaler la fumée.

– Tu joues les petites filles sages, susurra-t-il. Mais tu ne l'es pas vraiment – je me trompe ?

Emma leva de nouveau la tête vers le ciel pour observer les trois étoiles de sa famille imaginaire. Un peu plus loin vers l'horizon se trouvait une quatrième étoile qu'elle avait récemment baptisée l'Étoile-Amoureux. Ce soir, elle semblait plus proche que jamais de l'Étoile-Emma. C'était peut-être un signe. Ça voulait peut-être dire que cette année serait celle où Emma rencontrerait son homme idéal, celui avec qui elle était destinée à sortir.

– Et merde, jura soudain Travis à voix basse.

Il venait d'apercevoir quelque chose à l'intérieur de la maison. Très vite, il écrasa son joint et le jeta sous la chaise d'Emma au moment où Clarice sortait sous le porche. Emma fronça les sourcils – sympa de la part de Travis d'essayer de la faire accuser à sa place – et recouvrit le bout encore incandescent du joint avec sa chaussure.

Clarice portait son uniforme de travail : une veste de smoking, un chemisier de soie blanche et un nœud papillon noir. Ses cheveux qu'elle teignait en blond étaient attachés en un élégant chignon. Elle avait mis du rouge à lèvres fuchsia, de cette teinte qui ne va réellement à personne. Dans ses mains, elle tenait une enveloppe blanche.

– Il me manque deux cent cinquante dollars, lança-t-elle sèchement en faisant crisser l'enveloppe vide. C'était un pourboire de Bruce Willis. Il a signé la note lui-même. Je comptais la mettre dans mon album.

Emma poussa un soupir compatissant. La seule chose qu'elle avait réussi à apprendre sur Clarice, c'est que celle-ci était obsédée par les célébrités. Elle racontait dans son album chacune de ses rencontres avec l'une d'elles, et avait couvert les murs du coin petit-déjeuner de photos dédicacées.

Parfois, Emma croisait sa mère d'accueil dans la cuisine aux environs de midi – le point du jour pour quelqu'un qui avait travaillé une grande partie de la nuit. Clarice ne parlait que de la longue conversation qu'elle avait eue la veille avec le dernier gagnant d'*American Idol*, de telle starlette de films d'action dont les seins étaient « certainement faux », ou de telle présentatrice d'une émission destinée à former des couples qui était en réalité une garce cynique.

Emma était toujours intriguée. Elle ne s'intéressait pas aux potins sur les célébrités, mais rêvait de devenir journaliste d'investigation un jour. Non qu'elle en ait informé Clarice, qui ne lui avait jamais rien demandé de personnel.

– Quand je suis partie bosser cet après-midi, l'argent était dans cette enveloppe, que j'avais laissée dans ma chambre. (Clarice dévisagea Emma en plissant les yeux.) Et maintenant, il n'y est plus. Tu as quelque chose à me dire ?

Emma jeta un coup d'œil à Travis, mais celui-ci était occupé à pianoter sur son BlackBerry. Comme il faisait défiler ses photos, la jeune fille remarqua un cliché flou qui la montrait dans le miroir de la salle de bains, enveloppée d'une serviette et les cheveux mouillés. Les joues en feu, elle reporta son attention sur Clarice.

– Non, je n'ai rien à te dire, répondit-elle sur le ton le plus calme possible. Mais tu devrais poser la question à Travis. Il sait peut-être, lui.

– Pardon ? s'exclama le jeune homme sur un ton indigné. Je n'ai pas pris cet argent !

Emma poussa un grognement incrédule.

– Tu sais bien que je ne ferais jamais une chose pareille, maman, poursuivit Travis en se levant et en remontant son short d'une main. Je me rends compte à quel point tu bosses dur. Par contre, j'ai vu Emma entrer dans ta chambre aujourd'hui.

– Quoi ? (Emma bondit sur ses pieds et lui fit face.) C'est faux !

– C'est la pure vérité, affirma Travis.

À peine eut-il tourné le dos à sa mère que son sourire hypocrite se changea en grimace. Le nez plissé, il foudroya Emma du regard. La jeune fille en resta bouche bée. Comment pouvait-il mentir aussi facilement ?

– Je t'ai vu fouiller dans le sac de ta mère, clama-t-elle.

Clarice s'appuya contre la table en tordant la bouche.

– Tu dis que c'est Travis qui a fait ça ?

– Bien sûr que non, se récria le jeune homme. (Il tendit un doigt accusateur vers Emma.) Pourquoi tu la croirais ? Tu ne la connais même pas !

– Je n'ai pas besoin d'argent, se défendit Emma en pressant les mains sur sa poitrine. J'ai un boulot, moi !

Elle travaillait depuis des années. Avant le grand huit, elle avait nourri les chèvres dans une ferme-zoo où les visiteurs pouvaient caresser les animaux ; elle s'était déguisée en Statue de la Liberté et plantée au coin d'une rue pour faire de la publicité à une société de crédit ; elle avait même vendu des couteaux au porte-à-porte.

En tout, elle avait économisé plus de deux mille dollars qu'elle planquait dans une boîte de Tampax à moitié vide. Travis ne les avait pas encore trouvés, probablement parce que contre un ado lubrique, des tampons constituaient une meilleure protection qu'une meute de rottweilers enragés.

Clarice dévisagea son fils, qui soutint son regard avec une moue boudeuse parfaitement écœurante. Tandis qu'elle triturait l'enveloppe vide, une expression soupçonneuse passa sur ses traits − comme si, l'espace d'un instant, elle avait vu au travers de sa façade d'innocence.

− Écoute. (Le jeune homme s'approcha de sa mère et lui posa une main sur l'épaule.) Il faut que je te montre le vrai visage d'Emma.

Tirant de nouveau son BlackBerry de sa poche, il se mit à tripoter la molette.

− De quoi parles-tu ? s'enquit Emma en les rejoignant.

Travis leva vers elle un regard faussement pieux et dissimula l'écran de son appareil.

− Je voulais en discuter avec toi en privé, mais tu ne me laisses pas le choix.

− Discuter de quoi ?

Emma se jeta sur lui, faisant vaciller la bougie à la citronnelle posée au milieu de la table.

– Tu sais très bien de quoi. (Travis se mit à taper sur le clavier avec ses pouces. Un moustique bourdonnait autour de sa tête ; il ne se donna pas la peine de le chasser.) Tu es une sale perverse.

– De quoi parles-tu, Travis ? s'inquiéta Clarice avec une mine inquiète.

Enfin, le jeune homme baissa son BlackBerry pour que tout le monde puisse voir.

– De ça, répondit-il, triomphant.

Un vent chaud et sec souffla au visage d'Emma, apportant de la poussière qui lui piqua les yeux. Le ciel nocturne, d'un bleu déjà presque noir, parut s'assombrir de quelques tons. Près d'elle, Travis respirait lourdement. Son haleine empestait le shit. Il s'était connecté à un site de téléchargement vidéo. D'un geste grandiloquent, il tapa le mot-clé *Sutton-InAZ* et appuya sur « Lecture ».

Une vidéo démarra. Une caméra portée sur l'épaule balaya une clairière. Il n'y avait pas de son, comme si le micro avait été coupé. L'image pivota brusquement vers une jeune femme assise sur une chaise, la moitié supérieure du visage recouverte par un bandeau noir. Elle se débattait violemment, faisant voler le médaillon rond en argent suspendu à son cou par une chaîne épaisse.

Un moment, l'écran devint noir. Puis quelqu'un se glissa derrière la fille et tira sur la chaîne, l'étranglant à demi. La malheureuse arqua le dos, gesticulant et ruant de plus belle.

– Oh, mon Dieu !

Clarice porta une main à sa bouche.

– C'est quoi ? chuchota Emma.

L'agresseur de la fille continuait à tirer. Il portait un masque, si bien qu'Emma ne pouvait pas voir son visage. Au bout de trente secondes environ, la fille s'affaissa et ne bougea plus.

Emma eut un mouvement de recul. Venaient-ils de regarder quelqu'un mourir ? Que diable... ? Et quel rapport avec elle ?

La caméra restait braquée sur la fille au bandeau, toujours immobile. L'écran vira au noir. Quand l'image revint, elle penchait sur le côté, comme si la caméra était tombée par terre.

Quelqu'un s'approcha de la fille et lui ôta son bandeau. Au bout d'un long moment, la fille toussa. Elle avait les yeux pleins de larmes et les coins de la bouche abaissés. Elle cligna lentement des yeux. L'espace d'une seconde avant que la vidéo s'achève, elle tourna un regard flou vers la caméra.

La mâchoire inférieure d'Emma lui en tomba sur ses Converse usées.

Clarice hoqueta de surprise.

– Ha ! s'exclama Travis, ravi. Je te l'avais dit !

Emma scruta les grands yeux bleus de la fille, son nez légèrement retroussé au milieu d'un visage rond. Elle aurait aussi bien pu se regarder dans un miroir.

Parce que la fille dans la vidéo, c'était moi.

2

C'EST ÇA, REJETEZ DONC LA FAUTE SUR LA GAMINE PLACÉE CHEZ VOUS

Emma arracha le BlackBerry des mains de Travis et se repassa la vidéo en fixant l'écran comme si elle voulait le transpercer avec la force de son regard.

Quand l'agresseur masqué se mit à étrangler la fille, elle sentit la peur lui tordre le ventre. Et quand la main anonyme ôta le bandeau, un visage identique au sien apparut de nouveau sous ses yeux ébahis. L'inconnue avait les mêmes cheveux châtains épais et ondulés, le même menton rond, les mêmes lèvres roses et pleines à propos desquelles ses camarades de classe la taquinaient toujours quand elle était petite : « On dirait que tu fais une allergie, ou qu'une abeille t'a piqué la bouche ! »

Emma frissonna.

Moi aussi, j'avais vu la vidéo, et moi aussi, j'étais horrifiée. L'éclat du soleil se reflétant sur le médaillon en argent fit ressurgir de ma mémoire un fragment de souvenir. Je me revis soulevant le couvercle de mon coffre de bébé pour prendre le médaillon enfoui sous un anneau de dentition mâchouillé en forme de girafe, une couverture bordée de dentelle et une paire de chaussons tricotés, afin de le passer à mon cou. Mais la vidéo elle-même ne me disait rien. J'ignorais si elle avait été tournée dans mon jardin ou trois États plus loin. J'aurais bien voulu gifler ma mémoire post-mortem pour qu'elle se ressaisisse.

Cela dit, pas besoin d'être un génie pour deviner que cette vidéo montrait la façon dont j'étais morte – une hypothèse corroborée par le bref flash-back que j'avais eu dans la salle de bains. Mon cœur battant à tout rompre, le visage penché sur moi, la silhouette de mon assassin…

Pour autant, je ne comprenais pas bien comment tout cela fonctionnait. Avais-je fait irruption dans la vie d'Emma tout de suite après avoir poussé mon dernier soupir, ou s'était-il écoulé plusieurs jours, voire plusieurs mois, entre les deux événements ? Et comment cette vidéo s'était-elle retrouvée en ligne ? Ma famille et mes amis l'avaient-ils vue ? S'agissait-il d'une sorte de demande de rançon malsaine ?

Emma leva enfin les yeux.

– Où as-tu trouvé ça ? interrogea-t-elle, choquée.

– Tu ne savais pas que tu étais une star de l'Internet, hein ? grimaça Travis en lui reprenant son BlackBerry sans douceur.

28

Clarice passa ses doigts recourbés dans ses cheveux. Son regard faisait la navette entre l'écran de l'appareil et le visage de la jeune fille que les services sociaux lui avaient confiée.

– C'est à ça que tu passes ton temps libre ? demanda-t-elle d'une voix enrouée.

– J'imagine que ça l'excite. (Travis se mit à faire les cent pas tel un lion en cage.) L'an dernier, je connaissais des filles au bahut qui étaient complètement obsédées par ça. L'une d'elles a failli en mourir.

Clarice plaqua une main sur sa bouche.

– Qu'est-ce qui cloche dans ta tête ?

– Non, attendez, protesta Emma en regardant tour à tour Clarice et Travis. Ce n'est pas moi. La fille dans la vidéo – ce n'est pas moi !

Le jeune homme leva les yeux au ciel.

– Qui d'autre, alors ? Laisse-moi deviner : ta sœur perdue à la naissance ? Ta jumelle maléfique ?

Un grondement de tonnerre résonna dans le lointain. La brise charriait une odeur d'asphalte mouillé, signe qu'un orage ne tarderait pas. *Ma sœur perdue à la naissance.* Cette idée éclata dans l'esprit d'Emma comme un pétard du 4 juillet[1]. C'était possible. Une fois, elle avait demandé aux services sociaux si Becky avait eu et abandonné d'autres enfants, mais ils lui avaient répondu qu'ils l'ignoraient.

Une pensée s'embrasa dans mon propre esprit. J'étais une enfant adoptée. Ça, au moins, je m'en souvenais. Tout le monde le savait dans ma famille ;

---

1. NdT : Date de la fête nationale qui célèbre l'indépendance des États-Unis.

mes parents n'avaient jamais tenté de le cacher. Ils m'avaient dit que ça s'était fait très vite, à la dernière minute, et qu'ils n'avaient jamais rencontré ma mère biologique.

Se pouvait-il que je sois réellement la sœur d'Emma ? En tout cas, ça aurait expliqué pourquoi j'étais littéralement scotchée à cette fille qui me ressemblait trait pour trait, pourquoi je la suivais partout comme si nos âmes étaient liées.

Clarice pianota sur la table avec ses ongles manucurés.

– Je ne tolère ni vol ni mensonge dans cette maison, Emma.

La jeune fille avait l'impression qu'elle venait de recevoir un coup de pied dans le ventre.

– Ce n'est pas moi dans cette vidéo, répéta-t-elle. Et je ne t'ai rien volé, je le jure !

Elle tendit la main vers son cabas, qu'elle avait posé sur la table. Il lui suffisait d'appeler Eddie, son chef au grand huit. Il pourrait témoigner qu'elle avait passé la journée au travail. Mais Travis fut plus rapide. Il poussa le sac d'Emma, dont le contenu se répandit par terre.

– Oups ! s'écria-t-il joyeusement.

Impuissante, la jeune fille regarda son exemplaire corné de *Le soleil se lève aussi* atterrir sur une fourmilière poussiéreuse. La brise se saisit d'un ticket froissé pour le buffet barbecue à volonté de l'hôtel-casino *MGM Grand* et alla le déposer près des haltères de Travis. Le BlackBerry d'Emma et un tube de baume pour les lèvres à la cerise tombèrent près d'une tortue en terre cuite. Mais le bouquet final, ce fut la liasse de billets retenus par un gros élastique violet, qui rebondit une fois avant de s'immobiliser devant les chaussures à talons de Clarice.

Emma était trop choquée pour dire quoi que ce soit. Clarice ramassa l'argent et se lécha l'index pour le compter.

– Deux cents, annonça-t-elle quand elle eut terminé. (Elle brandit un billet de vingt dollars. Un gros B ventru – probablement celui de « Bruce » était gribouillé à l'encre bleue dans le coin supérieur gauche. Emma le voyait même dans la lumière déclinante.) Qu'as-tu fait des cinquante autres ?

Le carillon à vent d'une maison voisine tinta dans le lointain. Emma était glacée à l'intérieur.

– J-je ne sais pas comment cet argent est arrivé dans mon sac, balbutia-t-elle.

Derrière elle, Travis ricana.

– Démasquée !

Il s'était adossé nonchalamment au mur de stuc, à gauche du gros thermomètre rond. Il avait croisé les bras sur la poitrine, et un rictus mauvais retroussait sa lèvre supérieure.

Les cheveux d'Emma se dressèrent sur sa nuque. Tout à coup, elle comprit ce qui s'était passé. Sa bouche frémit, comme toujours quand elle était sur le point de péter les plombs.

– C'est toi qui as fait ça ! s'écria-t-elle en tendant un doigt rageur vers Travis. Tu voulais me faire accuser à ta place !

Travis grimaça. Quelque chose à l'intérieur d'Emma se brisa. Elle en avait ras le bol de faire tant d'efforts pour bien s'entendre avec les gens qui l'entouraient, d'être toujours celle qui devait s'adapter à sa nouvelle famille d'accueil et devenir ce qu'on voulait qu'elle soit. Bondissant sur Travis, elle le saisit par son cou épais.

– Emma ! glapit Clarice en l'arrachant à son fils.

La jeune fille tituba en arrière et se cogna contre une des chaises. Clarice lui fit face, furieuse.

– Qu'est-ce qui te prend ?

Sans répondre, Emma foudroya Travis du regard. Le jeune homme s'était plaqué contre le mur, les bras croisés devant lui pour se protéger, mais une lueur ravie brillait dans ses yeux.

Clarice se détourna d'Emma, se laissa tomber sur une chaise et se frotta les yeux, étalant son mascara.

– Ça ne va pas marcher, dit-elle doucement au bout d'une minute. (Elle leva la tête et dévisagea froidement Emma.) Je te prenais pour une gentille fille facile à vivre, qui ne nous causerait pas de problèmes, mais tu as dépassé les bornes.

– Je n'ai rien fait, chuchota Emma. Je le jure.

Clarice sortit une lime en carton et s'attaqua nerveusement à l'ongle de son petit doigt.

– Tu peux rester jusqu'à ton anniversaire, mais après ça, tu devras te débrouiller seule.

Emma cligna des yeux.

– Tu me jettes dehors ?

Clarice s'interrompit, et son expression s'adoucit.

– Je suis désolée, dit-elle gentiment, mais c'est mieux pour tout le monde.

Emma se détourna et fixa intensément le hideux mur en parpaings au fond de la propriété.

– Je regrette de devoir en arriver là.

Clarice se leva, rouvrit la porte vitrée coulissante et rentra dans la maison. Dès qu'elle fut hors de vue, Travis s'écarta du mur et se redressa de toute sa hauteur. Contournant Emma, il se pencha pour ramasser le mégot de joint abandonné sous la chaise, souffla sur les brins d'herbe séchée qui étaient collés au bout et le laissa tomber dans l'une des immenses poches de son short.

– Tu as de la chance qu'elle ne porte pas plainte, susurra-t-il.

Emma le regarda rentrer dans la maison en roulant des mécaniques. Elle brûlait d'envie de lui sauter dessus et de lui arracher les yeux, mais ses jambes semblaient s'être changées en argile mouillée. Ses yeux se remplirent de larmes. *Encore !*

Chaque fois qu'une famille d'accueil lui annonçait qu'elle devait déménager, cela la renvoyait à ce moment glacial et solitaire où elle avait réalisé que Becky ne reviendrait pas. Elle était restée une semaine chez les Morgan pendant que la police tentait de retrouver sa mère. Faisant contre mauvaise fortune bon cœur, elle avait joué à Candy Land avec Sasha, regardé *Dora l'exploratrice* et organisé pour sa camarade des chasses au trésor semblables à celles que Becky inventait pour elle.

Mais chaque soir, dans la lueur de la veilleuse Cendrillon de Sasha, elle luttait pour déchiffrer les passages de *Harry Potter* qu'elle comprenait. Et ils n'étaient pas nombreux : elle arrivait tout juste à lire *Le chat chapeauté*. Elle avait besoin de sa mère pour lui expliquer les mots difficiles. Elle avait besoin de sa mère pour faire les voix des personnages. Aujourd'hui encore, ça lui faisait mal quand elle y repensait.

Le silence était retombé sur le jardin. Le vent agitait les plantes suspendues sous le porche et inclinait les palmiers. Emma fixait sans la voir la statue en terre cuite d'une femme gironde à laquelle Travis et ses amis s'amusaient à se frotter de façon suggestive.

Donc, c'était fini. Plus question de rester ici jusqu'à ce qu'elle obtienne son diplôme. Plus question de s'inscrire au programme de photo-journalisme de l'Université de Sud-Californie... ni même dans une fac locale de deuxième zone. Elle n'avait nulle part où aller, personne vers qui se tourner. À moins que...

Soudain, l'image de la vidéo s'imposa une fois de plus à son esprit. *Une sœur perdue à la naissance.* L'espoir lui gonfla le cœur. Elle devait la retrouver.

Si seulement j'avais pu lui dire que c'était trop tard...

3

C'est forcément vrai, puisque tu l'as lu sur Facebook

Une heure plus tard, Emma se tenait dans sa petite chambre, ses sacs de marin en toile kaki grands ouverts par terre. Pourquoi attendre pour faire ses bagages ? Son téléphone collé à l'oreille, elle parlait avec Alexandra Stokes, sa meilleure amie à Henderson.

– Tu n'as qu'à venir chez moi, proposa cette dernière quand Emma eut fini de lui raconter comment Clarice l'avait mise à la porte. Je parlerai à ma mère. Elle acceptera peut-être.

Emma ferma les yeux. L'année précédente, Alex et elle faisaient partie de l'équipe de cross-country de leur lycée. Elles s'étaient toutes les deux gamellées en descendant une colline pendant la première séance d'entraînement, et elles avaient sympathisé tandis que l'infirmière nettoyait leurs écorchures avec de l'eau oxygénée qui piquait grave.

Elles avaient passé toute leur année de première à s'introduire en douce dans les casinos et à prendre des photos de gens célèbres – ou de sosies de gens célèbres ! – avec le Canon SLR d'Alex, à hanter les boutiques de prêteurs sur gages sans jamais rien acheter, et à se faire bronzer au bord du lac Mead le week-end.

– C'est beaucoup lui demander.

Emma sortit de sa commode une pile de T-shirts vintage qu'elle laissa tomber dans un des sacs en toile kaki. Elle avait dormi chez les Stokes pendant deux semaines après qu'Ursula et Steve furent partis s'installer dans les Keys, en Floride. Elle avait adoré son séjour, mais Mme Stokes était une mère célibataire qui avait déjà beaucoup de choses à gérer.

– C'est quand même dingue que Clarice t'ait jetée, commenta Alex. (Emma entendit de légers bruits de mastication à l'autre bout de la ligne ; son amie devait manger des Twizzlers au chocolat, sa friandise préférée.) Elle ne peut pas sérieusement penser que tu as volé ce fric.

– En fait, il y avait autre chose, dit Emma en prenant ses jeans et en les fourrant dans le même sac.

– Quoi ? demanda Alex.

Emma tritura un badge militaire à moitié décousu sur le sac qu'elle était en train de remplir.

– Je ne peux pas t'expliquer maintenant. (Elle ne voulait pas parler de la vidéo à Alex. Elle préférait garder ça pour elle encore un petit moment, au cas où

36

elle se serait trompée.) Mais je te raconterai bientôt, promis.

Après avoir raccroché, Emma s'assit sur la moquette et regarda autour d'elle. Elle avait décollé des murs tous ses tirages de photos de Margaret Bourke-White et Annie Leibovitz, et vidé les étagères de sa collection de romans policiers et de thrillers fantastiques. Du coup, la pièce ressemblait désormais à une de ces chambres de motel qu'on loue à l'heure.

Emma détailla le contenu de son tiroir de bureau, celui qui contenait ses possessions les plus chères. Le monstre tricoté à la main que Mme Hewes, son professeur de piano, lui avait donné le jour où elle avait réussi à jouer *La lettre à Élise* sans fautes, alors qu'elle n'avait pas de piano chez elle pour s'exercer. Quelques indices de chasse au trésor rédigés par Becky, dont le papier se désintégrait presque dans les plis. Poulpy, le poulpe fabriqué à partir d'une chaussette désormais usée jusqu'à la trame, que Becky avait acheté à sa fille pendant un voyage à Four Corners[1].

Tout au fond du tiroir reposaient les cinq carnets recouverts de tissu qu'Emma avait remplis de poèmes et de listes : « Les Vannes Que J'Aurais Voulu Balancer », « Les Trucs À Dire pour Draguer », « J'Aime/Je Déteste », ainsi qu'une critique détaillée sur chaque friperie de la région. Emma maîtrisait les achats de seconde main à la perfection. Elle savait quel jour arrivait la marchandise, comment négocier le prix

1. NdT : Seul endroit des États-Unis où convergent quatre États : l'Arizona, le Nouveau-Mexique, l'Utah et le Colorado.

d'un article qui lui plaisait, et qu'il fallait toujours fouiller dans le fond du bac à chaussures — une fois, elle avait ainsi dégoté une paire de sandales Kate Spade à peine éraflées.

D'un coin du tiroir, Emma sortit son vieux Polaroïd et un gros tas de clichés. L'appareil appartenait autrefois à Becky, mais Emma l'avait apporté avec elle chez les Morgan le soir de la disparition de sa mère. Peu de temps après, elle avait commencé à écrire des légendes semblables à celles qu'on aurait pu trouver dans la presse, au sujet des photos qu'elle prenait de sa vie dans ses familles d'accueil. « Fatiguée par ses enfants, une mère d'accueil s'enferme dans sa chambre pour regarder *Les Aventures de Beaver* ». « Un couple de hippies déménage en Floride sans prévenir ». « Une mère d'accueil respectable est mutée à Hong-Kong ; elle n'a aucune intention d'emmener la fille placée chez elle ».

Emma était la seule journaliste de sa propre chaîne. Si elle s'était sentie d'humeur, elle aurait inventé un nouveau titre pour cette journée : « Un frère d'accueil maléfique fout en l'air la vie d'une pauvre adolescente ». Ou peut-être : « Une adolescente se découvre un sosie sur Internet ; serait-ce sa sœur perdue à la naissance ? ».

À cette pensée, Emma s'interrompit. Elle jeta un coup d'œil au vieil ordinateur portable Dell qu'elle avait acheté d'occasion, et qui gisait par terre non loin d'elle. Prenant une grande inspiration, elle le posa sur le lit et l'ouvrit. L'écran s'alluma. Emma tapa rapidement le nom du site sur lequel Travis avait trouvé la fausse vidéo de strangulation. Celle-ci figurait en premier sur la liste ; elle avait été postée en tout début de soirée.

Emma appuya sur « Lecture », et l'image grainée apparut. La fille au bandeau rua et se débattit. Son agresseur masqué tira sur son collier. La caméra tomba, et quelqu'un s'avança pour arracher le bandeau. Le teint cendreux et l'air hébété, la fille regarda autour d'elle, ses yeux roulant dans leurs orbites comme des billes. Puis elle se tourna vers la caméra. Ses yeux bleu-vert étaient vitreux, et ses lèvres roses brillaient. Elle était la réplique exacte d'Emma. Celle-ci n'avait donc pas rêvé.

– Qui es-tu ? chuchota-t-elle tandis qu'un frisson lui parcourait l'échine.

J'aurais bien voulu pouvoir lui répondre. J'aurais bien voulu pouvoir faire quelque chose d'utile au lieu de rester suspendue au-dessus d'elle comme un spectre voyeur. J'avais l'impression de regarder un film, à cela près que je ne pouvais pas huer les comédiens ni jeter de pop-corn sur l'écran.

La vidéo s'acheva, et le site demanda à Emma si elle voulait la regarder de nouveau. Les ressorts du lit grincèrent comme la jeune fille se dandinait en réfléchissant. Au bout d'un moment, elle tapa *SuttonInAZ* dans Google. Quelques sites apparurent instantanément, dont une page Facebook au nom de SUTTON MERCER, TUCSON, ARIZONA.

Dehors, le crissement des pneus résonnait tel un brouhaha de gémissements ininterrompu. La page Facebook se chargea, et Emma hoqueta de surprise en découvrant une photo de Sutton Mercer, debout dans un vestibule en compagnie d'un tas d'autres filles. Elle portait une robe sans manches noire, un bandeau à paillettes dans les cheveux et des escarpins argentés.

Saisie de nausée, Emma cligna des yeux. Elle se pencha vers son portable pour chercher une différence entre Sutton et elle, mais même les oreilles minuscules de l'inconnue et ses dents carrées parfaitement alignées étaient identiques aux siennes.

Plus Emma réfléchissait, plus elle trouvait plausible l'existence d'une jumelle dont elle aurait été séparée à la naissance. À certains moments, elle avait l'impression que quelqu'un l'accompagnait, l'observait. Parfois, elle se réveillait le matin après avoir rêvé d'une fille qui lui ressemblait, mais qui n'était pas elle – elle en avait l'intime conviction. Elle la voyait monter un Appaloosa au pelage moucheté dans la ferme de quelqu'un, ou traîner derrière elle une poupée aux cheveux noirs.

Et puis, si Becky était assez irresponsable pour oublier Emma au Circle K, elle avait très bien pu faire de même avec un autre bébé. Quand elle achetait des chaussures en double, ce n'était peut-être pas pour Emma, en fin de compte, mais pour sa sœur jumelle – une fillette qu'elle avait déjà abandonnée.

Emma a peut-être raison, songeai-je. *Ces chaussures étaient peut-être pour moi.*

Emma déplaça le curseur, balayant les filles qui se tenaient près de Sutton dans la photo. MADELINE VEGA, clama un pop-up d'identification. Madeline avait des cheveux noirs et raides, de grands yeux marron, une silhouette déliée et les dents du bonheur, comme Madonna. Elle penchait la tête sur le côté d'un air suggestif. Elle avait une rose tatouée à l'intérieur du poignet, et sa robe écarlate était décolletée jusqu'au sternum.

Sa voisine était une rouquine nommée Charlotte Chamberlain. Elle avait un teint pâle, légèrement rosé, et de jolis yeux verts. Elle portait une robe de soie noire tendue sur ses larges épaules. Deux blondes aux yeux pareillement écarquillés et au nez pareillement retroussé encadraient le reste du groupe. Elles s'appelaient Lilianna et Gabriella Fiorello ; en les identifiant, Sutton les avait surnommées « Les Jumelles Twitteuses ».

Je regardais par-dessus l'épaule d'Emma. Je connaissais ces filles. Je devinais que nous avions été proches. Mais elles étaient pareilles à des livres que j'aurais lus deux étés plus tôt : je savais que je les avais aimées, mais je n'aurais pas pu vous dire de quoi elles parlaient vraiment.

Emma fit défiler la page. La plus grande partie des éléments du profil Facebook étaient publics. Sutton devait entrer en terminale à la fin des vacances, comme Emma. Elle fréquentait le lycée de Hollier. Elle aimait le tennis, faire du shopping au centre commercial La Encantada et le massage corporel à la papaye du Canyon Ranch. Dans son encadré de présentation, elle avait écrit : « J'aime Gucci plus que Pucci, mais pas autant que Juicy ».

Emma fronça les sourcils. Elle n'avait pas la moindre idée de ce que ça voulait dire. Très franchement, moi non plus.

Emma cliqua ensuite sur la page « Photos » et examina un cliché qui montrait plusieurs filles en polo, jupette de tennis et baskets. Une plaque marquée « Équipe de Tennis de Hollier » reposait à leurs pieds. Emma déplaça le curseur sur le nom des joueuses jusqu'à ce qu'elle trouve celui de Sutton. C'était la troisième en partant de la droite. Cette fois, ses cheveux étaient relevés en queue de cheval. L'Indienne aux cheveux noirs qui se tenait près d'elle était identifiée comme NISHA BANERJEE. Elle arborait un sourire hypocrite.

Je la dévisageai, et tout mon corps intangible fut parcouru par un picotement. Je savais que je n'aimais pas Nisha, mais j'étais incapable de dire pourquoi.

Emma observa ensuite une photo de Sutton et de Charlotte debout sur un court de tennis en compagnie d'un homme grisonnant de haute taille. Il n'était pas identifié sur le cliché même, mais la légende indiquait : « Au Tennis Classic d'Arizona avec C et M. Chamberlain ». Venait ensuite une photo de Sutton enlaçant un beau blond au sourire plein de gentillesse, qui portait un maillot de l'équipe de foot américain de Hollier. « Je t'M, G ! » avait écrit la jeune fille. Dans les commentaires, un dénommé Garrett avait répondu : « Je t'M aussi, Sutton ».

Ooooh, s'attendrit Emma. Et mon cœur aussi s'en trouva tout réchauffé.

La dernière photo qu'Emma fit apparaître à l'écran montrait Sutton assise à une table de jardin avec un couple de quinquagénaires séduisants et une blonde à la mâchoire carrée nommée Laurel Mercer. Sa sœur adoptive, sans doute. Tout le monde souriait de toutes ses dents et levait un verre plein pour porter un toast. « J'M ma famille », clamait la légende.

Emma s'attarda longtemps sur cette photo, la poitrine comme comprimée par un étau. Ses rêves éveillés au sujet de la famille Étoile ressemblaient beaucoup à ça : des parents souriants, une jolie maison, une existence heureuse. Si elle avait découpé sa tête sur une photo pour la coller sur le corps de Sutton, l'image n'aurait pas été différente. Pourtant, sa vie était aussi éloignée que possible de celle de l'autre fille.

Il y avait quelques vidéos YouTube sur la page Facebook. Emma cliqua sur la première. Sutton se tenait au milieu de ce qui ressemblait à un parcours de golf verdoyant, en compagnie de Madeline et de Charlotte. Les trois filles s'agenouillèrent en secouant vigoureusement des bombes de peinture. Lentement et en silence, elles se mirent à écrire sur un gros rocher : « TU NOUS MANQUES, T » pour Madeline ; « NISHA EST PASSÉE ICI » pour Sutton.

– Où est Laurel ? s'enquit Charlotte.

– Je te parie mille billets qu'elle a eu la frousse, grommela Sutton.

Sa voix était si familière qu'Emma sentit sa gorge se serrer.

Elle cliqua sur les autres vidéos. L'une d'elles montrait Sutton et ses amies faisant du parachutisme ; une autre, sautant à l'élastique. Dans une série de clips presque identiques, une des filles se promenait seule, et au moment où elle tournait à un coin de rue, les autres, tapies en embuscade, lui sautaient dessus pour la faire hurler.

La dernière vidéo s'intitulait : « Croix de bois, croix de fer ». Madeline plongeait dans une piscine en pleine nuit. Mais à peine avait-elle touché l'eau qu'elle commençait à gesticuler désespérément.

– Au secours ! criait-elle, ses cheveux noirs plaqués sur son front. Je crois que je me suis cassé une jambe ! Je... je ne peux plus bouger !

La caméra vacillait.

– Mads ? appelait Charlotte.

– Merde, jurait quelqu'un d'autre.

– Au secours !

Madeline continuait à se débattre dans l'eau.

– Attendez un peu, intervenait la voix de Sutton. Elle a dit les mots ?

La caméra pivotait vers Charlotte figée en plein mouvement, une bouée rouge et blanc dans les mains.

– Quoi ? balbutiait-elle sans comprendre.

– Elle a dit les mots ? répétait Sutton.

– J-je ne crois pas. (Pinçant les lèvres, Charlotte laissait tomber la bouée par terre.) Très drôle. On sait que tu fais semblant, Mads, criait-elle, agacée. (Plus bas, entre ses dents, elle ajoutait :) Elle est vraiment nulle comme actrice.

Madeline cessait de s'agiter.

– D'accord, haletait-elle en nageant vers l'échelle. Mais pendant une minute, je vous ai bien eues. J'ai cru que Char allait se pisser dessus.

Les autres filles s'esclaffèrent de bon cœur.

Ouah, songea Emma. *C'est comme ça qu'elles s'amusent ?*

J'admets que moi aussi, je me sentais un peu perturbée par ce que je venais de voir.

Emma fouilla le reste du profil Facebook en quête d'une référence à l'étrange vidéo que Travis avait trouvée, mais sans succès. La seule chose semi-effrayante qu'elle découvrit fut un prospectus en noir et blanc sur lequel était marqué : « DISPARU DEPUIS LE 17 JUIN ». Et, sous la photo d'un adolescent au large sourire : « THAYER VEGA », en majuscules. Emma cliqua de nouveau sur la photo de profil de Sutton. Le nom de famille de Madeline était bien Vega.

Enfin, Emma parcourut le mur de Sutton. Quelques heures plus tôt, la jeune fille avait écrit : « Ça vous arrive parfois d'avoir envie de fuguer ? Moi oui ». Emma fronça les sourcils. Pourquoi Sutton aurait-elle voulu fuguer ? Elle avait tout ce qu'une adolescente pouvait désirer !

J'aurais été bien en peine de répondre à cette question, mais ce statut m'apprenait beaucoup de choses. Si je l'avais écrit le jour même, j'étais morte depuis très peu de temps. Quelqu'un s'en était-il seulement aperçu ? Je regardai le reste de mon mur – du moins, la partie visible à l'écran. Pas de « Repose en paix, Sutton », ni de plans pour mes obsèques. Donc, peut-être que personne n'était au courant. Peut-être que personne n'avait retrouvé mon corps. Gisait-il quelque part dans un champ, le cou toujours ceint de mon pendentif ?

Je baissai les yeux vers ma silhouette scintillante. Même si personne d'autre ne pouvait me voir, il m'arrivait de distinguer un petit bout de moi : une main par-ci, un coude par-là, un short en tissu-éponge et des claquettes de piscine jaunes. Mais il n'y avait pas la moindre goutte de sang, et ma peau n'était pas bleue.

Alors qu'Emma s'apprêtait à refermer son ordinateur, un message sur le mur de Sutton attira son attention. « G hâte d'être à ta soirée d'anniversaire ! avait écrit Charlotte. Ça va être dément ! » L'anniversaire d'Emma approchait aussi. Elle consulta les infos personnelles de Sutton. La jeune fille était née un 10 septembre − comme elle.

Son cœur se mit à battre très vite. C'était une sacrée coïncidence. De mon côté, j'étais de plus en plus paumée, à la fois effrayée et pleine d'espoir. C'était peut-être vrai. Nous étions peut-être jumelles.

Au bout d'un moment, Emma ouvrit une nouvelle fenêtre et se loga sur sa propre page Facebook. Cette dernière semblait bien pathétique à côté de celle de Sutton. Sa photo de profil était un gros plan flou d'elle tenant Poulpy, et elle n'avait que cinq amis : Alex, une ancienne sœur d'accueil appelée Tracy, la Chunky Monkey de Ben & Jerry's, et deux des acteurs des *Experts*.

Repassant sur la page de Sutton, Emma cliqua sur le bouton « Envoyer un message ». Quand une petite fenêtre s'ouvrit, elle tapa : *Je sais que ça va te sembler dingue, mais je crois qu'on est jumelles. On se ressemble comme deux gouttes d'eau, et on a la même date de naissance. Je vis dans le Nevada, pas très loin de chez toi. Tu n'aurais pas été adoptée, par hasard ? Réponds-moi ou appelle-moi si tu veux qu'on discute.* Et elle nota son numéro.

Message envoyé, annonça l'écran. Emma regarda autour d'elle. Le petit ventilateur posé sur le bureau lui soufflait de l'air tiède à la figure. Après la révélation potentielle qui venait de lui tomber dessus, elle s'attendait à trouver le monde radicalement transformé – à voir un lutin danser dans le jardin par la fenêtre ouverte ou les statues en terre cuite de Clarice prendre vie et se mettre en ligne pour faire la chenille. Mais il y avait toujours la même fissure en zigzag au plafond, et la même tache en forme de M sur la moquette près de la penderie.

La petite horloge dans le coin de l'écran de son portable passa de 22 : 12 à 22 : 13. Emma rafraîchit sa page Facebook. Elle jeta un coup d'œil au ciel nocturne et localisa la Maman-Étoile, le Papa-Étoile et l'Emma-Étoile. Son cœur s'affola dans sa poitrine. Qu'avait-elle fait ? Saisissant son téléphone, elle composa le numéro d'Alex, mais son amie ne décrocha pas. Elle lui envoya un texto : *Tu es là ?*, et ne reçut pas davantage de réponse.

Sur la voie rapide, la circulation se faisait plus rare, et le grondement des voitures se changeait en chuchotement. Emma poussa un long soupir en imaginant la suite de sa vie. Peut-être pourrait-elle retourner à Henderson, vivre dans la chambre d'amis des Stokes et payer un loyer à la mère d'Alex. Elle bosserait à plein-temps – par exemple, elle ferait l'horaire de nuit au Target le plus proche de chez Alex, qui était ouvert vingt-quatre heures sur vingt-quatre – et elle réussirait à finir le lycée. Peut-être pourrait-elle même travailler comme stagiaire au journal local pendant les week-ends...

Bzzzzzz.

Emma rouvrit brusquement les yeux. Par la fenêtre ouverte, elle vit que la lune se trouvait beaucoup plus haut dans le ciel. Le réveil posé sur sa table de nuit indiquait 00 : 56. Elle s'était assoupie.

L'écran de son téléphone clignotait. Elle le fixa un long moment, comme si elle craignait que l'appareil ne lui saute dessus pour la mordre. Une enveloppe était apparue en haut de l'écran. Le cœur d'Emma accéléra. D'une main tremblante, elle appuya sur le bouton « Ouvrir ». Elle dut relire le message Facebook quatre fois avant d'en comprendre réellement la signification.

Oh, mon Dieu ! Je n'arrive pas à y croire. Oui, j'ai bien été adoptée. Mais j'ignorais tout de ton existence jusqu'à aujourd'hui. On peut se voir demain ? 18 heures au début de la piste de randonnée de Sabino Canyon, à Tucson. Je te joins mon numéro de portable. Et ne raconte rien à personne avant qu'on se soit parlé – ça pourrait être dangereux ! À très vite !

Bisous, Sutton (ta jumelle)

Il n'y avait qu'un seul problème : ce n'était pas moi qui avais écrit ce message.

4

UNE RÉUNION INTERROMPUE

En fin d'après-midi le lendemain, Emma descendit d'un bus Greyhound, son sac de marin en toile kaki à l'épaule. Dans le parking, des ondulations de chaleur s'élevaient du bitume ; l'air était si étouffant que la jeune fille eut l'impression d'avoir pénétré à l'intérieur d'un sèche-cheveux géant.

Sur sa droite s'alignaient de petites maisons en adobe et un studio de yoga en stuc violet baptisé « hOMbre ». Sur sa gauche se dressait une grosse bâtisse décrépite portant le nom d'*Hôtel Congress*, qui avait l'air hantée. Un couple de jeunes gens branchés traînait dans la rue en fumant des clopes. Plus loin, Emma aperçut ce qui ressemblait à une boutique de vêtements pour dominatrices. Dans la vitrine, des mannequins vêtues de combinaisons moulantes, de bas résille et de cuissardes brandissaient des fouets.

La jeune fille se retourna vers la gare routière. « TUCSON CENTRE », clamait le panneau suspendu assez bas devant l'entrée. Après avoir passé des heures assise à côté d'un type qui arborait une barbichette démoniaque et qui était apparemment accro aux Doritos parfum jalapeño, elle était enfin arrivée. Elle fut tentée de courir vers le panneau pour embrasser le bus Greyhound qui y était dessiné. Puis son portable vibra dans sa poche, et elle se hâta de le sortir pour prendre l'appel. La photo d'Alex s'affichait à l'écran.

– Hé ! lança Emma en pressant le vieux Black-Berry contre son oreille. Devine où je suis ?

– Tu n'as pas fait ça ? hoqueta Alex au bout du fil.

– Si.

Emma traîna son sac de marin jusqu'à un banc situé sous l'auvent et s'assit. Son amie avait finalement répondu à ses messages instantanés la veille au soir. Emma l'avait appelée immédiatement et lui avait débité toute l'histoire en une seule phrase qui l'avait laissée à bout de souffle.

– J'ai écrit un mot à Clarice, dit-elle, écartant ses longues jambes pour laisser passer un couple âgé avec des valises à roulettes. Les services sociaux ne me chercheront pas : mon dix-huitième anniversaire est trop proche.

– Alors, que comptes-tu dire à cette Sutton ? Si c'est vraiment ta sœur, tu crois que tu pourras emménager chez elle ? (Alex poussa un soupir mélodramatique.) C'est comme Cendrillon, mais sans ce gros débile de prince !

Emma s'adossa au banc et contempla les montagnes violacées dans le lointain.

– Je ne veux pas trop m'avancer, répondit-elle. Voyons déjà si on s'entend bien toutes les deux.

Mais son détachement était feint. Pendant tout le voyage en bus, elle avait imaginé comment sa rencontre avec Sutton changerait sa vie. Peut-être pourrait-elle s'installer à Tucson et fréquenter le même lycée qu'elle. Elle apprendrait à connaître les parents adoptifs de sa sœur. *Et si ça se trouve, ils me proposeront d'habiter chez eux,* osait-elle espérer. Cette idée lui donnait la chair de poule. Les chances étaient minces, mais après tout, qui pouvait savoir ? Alex avait raison : c'était comme Cendrillon, en beaucoup plus cool.

Mais commençons par le commencement. Avisant un taxi vert fluo à l'autre bout de la gare routière, Emma lui fit signe d'approcher.

– N'en parle à personne, d'accord ? demanda-t-elle à Alex.

– Promis, acquiesça son amie. Bonne chance.

– Merci.

Emma raccrocha, grimpa à l'arrière du taxi et annonça qu'elle allait à Sabino Canyon sans pouvoir contenir l'allégresse dans sa voix.

Le chauffeur sortit du parking et s'engagea dans les rues de Tucson. À travers la vitre crasseuse, Emma regarda avec un large sourire défiler les bâtiments de l'Université d'Arizona, dont celui qui était marqué INSTITUT DE LA PHOTOGRAPHIE en grandes lettres. Elle avait hâte de voir l'exposition permanente qu'il abritait.

Des étudiants prenaient le soleil sur les pelouses du campus. Un groupe de joggeurs passa en courant tel un troupeau de chevreuils. Plantée au milieu de la cour, une fille déguisée en plant de marijuana brandissait un panneau « KLAXONNEZ SI VOUS AIMEZ LA BEUH ». Le chauffeur klaxonna. Puis il entra sur l'autoroute 10 et prit la direction du nord.

Bientôt, les rues se firent plus larges, pleines de clubs de gym très chics, de bistrots charmants, d'épiceries fines et de boutiques haut de gamme. Emma aperçut l'entrée du centre commercial La Encantada, puis La Porte Rouge, un institut de beauté Elizabeth Arden. *On pourrait peut-être se faire une journée pédicure avec Sutton,* songea-t-elle.

En fait, cette pensée la rendait nerveuse. Jamais encore elle ne s'était fait faire de pédicure. Chaque fois que quelqu'un lui touchait les pieds, elle partait d'un rire nerveux et aigu comme celui d'Ernie dans *1, rue Sésame.*

Quant à moi, je me sentais complètement hébétée. Tandis que défilaient les endroits emblématiques de ma vie, quelques émotions et sensations s'agitaient au fond de moi – vague excitation lorsque nous passâmes près du restaurant NoRTH, parfum de jasmin à proximité de La Encantada –, mais aucun souvenir précis n'émergeait du lot.

Des questions bourdonnaient dans ma tête comme un essaim d'abeilles. Qui avait répondu à Emma ? Quelqu'un d'autre avait-il découvert que j'étais morte ? Je brûlais d'examiner de nouveau ma page Facebook, mais Emma ne s'était pas reconnectée. Une journée entière s'était écoulée depuis ma disparition, peut-être davantage. Où mon entourage me croyait-il ? Et pourquoi n'avait-on pas retrouvé mon corps ? D'un autre côté, si j'avais été assassinée, on avait très bien pu me découper en un million de morceaux.

J'avais envie de hurler et de sangloter, mais tout ce que je pouvais faire, c'était suivre Emma en proie à une panique muette. Ça ressemblait à un de ces rêves dans lesquels je tombais du haut d'un gratte-ciel. J'essayais toujours de crier pour que quelqu'un me rattrape, mais personne ne m'entendait jamais.

Le taxi tourna à gauche, et une montagne apparut devant les yeux d'Emma. « SABINO CANYON », indiquait une pancarte en bois rongée par les vers.

– Vous êtes arrivée, annonça le chauffeur en s'arrêtant le long du trottoir.

Nous y voilà. Emma lui tendit un billet de vingt dollars, puis descendit de voiture et se dirigea vers un banc en faisant crisser du gravier sous ses pieds. Des odeurs de crème solaire, de poussière et de roche chauffée par le soleil se mêlaient dans l'air ; elle s'en remplit les poumons. Quelques mètres plus loin, des randonneurs du soir s'étiraient les mollets contre les barrières du parking. La chaîne de montagnes scintillante barrait l'azur du ciel. De petites fleurs sauvages roses, jaunes et violettes piquetaient la piste.

C'est parfait, se réjouit Emma. Mue par son instinct, elle sortit son Polaroïd de son sac de marin. Elle n'avait pas emporté grand-chose avec elle : juste son portefeuille, Poulpy, une tenue de rechange, son appareil photo et son journal, parce qu'elle n'allait nulle part sans lui. Elle avait laissé presque tout le reste – ses économies y compris – dans une consigne à la gare routière de Las Vegas.

Le Polaroïd émit son bourdonnement habituel après qu'elle eut appuyé sur le bouton. Emma regarda l'image apparaître lentement sur le rectangle de carton. Dans sa tête, elle composa un titre : « Des sœurs perdues à la naissance se retrouvent enfin ».

Il était dix-huit heures tapantes. Emma s'assit sur le banc, sortit son poudrier Maybelline et s'examina dans le petit miroir. Elle portait une robe Gap en jersey rayé qu'elle avait achetée chez Cannelle, une friperie située près de la maison de Clarice, et une couche de gloss qui lui faisait les lèvres brillantes. Elle renifla discrètement son bras, espérant que sa peau n'empestait pas les gaz d'échappement ou les Doritos parfum jalapeño.

Sa rencontre imminente avec Sutton lui faisait le même effet que chaque arrivée dans une famille d'accueil potentielle. Les parents la détaillaient toujours de la tête aux pieds, décidant en un clin d'œil si elle réussissait l'examen ou pas. *Faites que je leur plaise,* avait prié Emma dans d'innombrables cuisines et sous quantité de porches qui se ressemblaient tous. *Faites que la vie chez eux soit supportable. Faites que je n'aie pas un gros mickey qui me pende du nez.*

D'autres gens émergèrent de la piste de randonnée. Emma consulta l'horloge de son portable. 18 : 10. Et si Sutton faisait partie de ces gens perpétuellement en retard ? Emma détestait ça. Et de toute façon, qu'allaient-elles se dire ?

– Salut, Sutton, articula Emma en s'entraînant à sourire. Alors, Becky t'a oubliée, toi aussi ?

Elle fit mine de tendre sa main, puis se ravisa et secoua la tête. Sutton et elle se donneraient probablement une accolade. À moins qu'elles ne restent plantées face à face, les bras ballants et l'air embarrassé.

L'étrange vidéo défila de nouveau dans la tête d'Emma. Quel genre de fille prenait son pied à se faire étrangler ? Elle repensa aux camarades que Travis avait mentionnées.

– Oh ! s'exclama quelqu'un derrière elle.

Emma sursauta et se retourna. Un inconnu en short et en polo se tenait tout près d'elle. Avec ses cheveux poivre et sel et sa silhouette légèrement bedonnante, il ressemblait au Dr Lowry, le seul employé des services sociaux qu'Emma ait jamais apprécié parce qu'il la traitait comme un être humain plutôt que comme un dossier difficile. Puis une des photos qu'elle avait vues sur le profil Facebook de Sutton lui revint en mémoire. « Au Tennis Classic d'Arizona avec C et M. Chamberlain ». C'était un membre de l'entourage de sa sœur, pas du sien.

Non que j'aie gardé le moindre souvenir de lui.

– Q-que fais-tu ici, Sutton ? interrogea-t-il, l'air troublé.

Emma cligna des yeux. Il l'avait prise pour sa sœur. Elle lui adressa un sourire tremblant. Sa langue lui paraissait gonflée et lourde comme du plomb dans sa bouche. *Ne raconte rien à personne avant qu'on se soit parlé*, lui avait demandé Sutton dans son mail : *ça pourrait être dangereux.*

– Bah, j'avais du temps à tuer, répondit Emma, mal à l'aise.

Ses paumes la picotaient comme chaque fois qu'elle mentait à un adulte.

– Tu fais de la randonnée ? insista le père de Charlotte. C'est le nouveau passe-temps à la mode chez les jeunes ?

Emma jeta un coup d'œil vers la route, espérant voir arriver une fille qui était son sosie et qui mettrait fin à ce malentendu. Plusieurs voitures passèrent sans s'arrêter. Deux gamins en vélos Schwinn firent de même en riant.

– Euh, pas exactement.

Sur la piste, un chien aboya. Emma se raidit : un chow-chow l'avait mordue quand elle avait neuf ans, et depuis, elle se méfiait des chiens. Mais celui-ci en avait après un lapin qui venait de jaillir d'un virage.

Le père de Charlotte fourra les mains dans les poches de son short.

– Bon, ben on se voit plus tard. Bonne soirée.

Il s'éloigna d'un pas rapide et disparut dans le tournant.

Emma s'affaissa contre le dossier du banc. *Trop gênant.* L'horloge de son portable indiquait désormais 18 : 20. Elle cliqua sur son dossier « Nouveaux messages » sans y trouver le moindre texto indiquant que sa sœur était en retard, mais qu'elle arrivait.

Un vague malaise se répandit dans tout son corps tel un poison insidieux. Elle avait l'impression que son estomac était en train de s'auto-digérer. Soudain, le cadre ne lui paraissait plus magique du tout. Les randonneurs qui redescendaient de la montagne ressemblaient à des monstres difformes. Une odeur âcre planait dans l'air. Quelque chose clochait sérieusement.

Crac.

Emma tourna vivement la tête. Avant qu'elle puisse voir ce qui avait fait ce bruit, une petite main se plaqua sur ses yeux et la força à se lever.

– Que... ? s'exclama Emma.

Une deuxième main lui couvrit la bouche. La jeune fille tenta de se dégager, mais un objet dur et froid se pressa entre ses omoplates. Elle se figea. Jamais encore on ne lui avait collé un flingue dans le dos, mais elle ne voyait pas ce que ça pouvait être d'autre.

– Ne bouge pas, salope, chuchota une voix rauque.

Emma sentit un souffle chaud dans son cou, mais elle ne pouvait rien voir sinon l'intérieur d'une main.

– Tu viens avec nous, ordonna la voix.

J'aurais bien aimé savoir qui désignait ce « nous », mais le problème depuis que j'étais morte, c'est que je ne voyais que ce que voyait Emma.

5

ELLE EST MOI

Emma avait beau traîner les pieds, elle ne cessait de trébucher. Le flingue lui mordait la peau. Elle devinait des silhouettes sombres et floues à travers le bandeau que quelqu'un avait hâtivement noué sur ses yeux, et des bruits de la circulation toute proche rugissaient à ses oreilles.

Elle laissa échapper un gémissement de panique tandis que des images de la vidéo se succédaient dans sa tête, clignotant ainsi que les lumières d'une ambulance. Les mains qui tiraient sur la chaîne du pendentif ; Sutton qui s'affaissait, inerte...

Je pensais à la même chose, et la terreur m'étreignait.

Quelqu'un poussa Emma vers l'autre côté de la route. Un klaxon retentit, et au bout d'un long moment, le pied d'Emma buta enfin contre le bord du trottoir d'en face.

Comme elle continuait à marcher en titubant, le grondement des voitures céda la place à des pulsations de basses. Une odeur de hamburgers grillés, de hot-dogs et de cigarettes lui chatouilla les narines. Elle entendit un bruit d'éclaboussures. Quelqu'un gloussa. Quelqu'un d'autre cria : « J'adore ! » Un spasme parcourut les mains d'Emma. Où était-elle ?

– C'est quoi, ce bordel ?

Soudain, quelqu'un lui arracha son bandeau. Le monde et la lumière me furent rendus en même temps qu'à elle.

Une fille aux longs cheveux roux, aux épaules larges et à la taille épaisse se tenait devant Emma. Son visage m'était familier. Elle portait une courte robe bleue au col orné de dentelle. *Charlotte,* se remémora Emma.

– Elle a déjà appris sa leçon, vous ne croyez pas ? aboya la rouquine en jetant le bandeau vers un cactus en pot.

Quelqu'un libéra les mains d'Emma qui étaient attachées dans son dos, et le canon du flingue cessa d'appuyer entre ses omoplates. Elle fit volte-face. Trois ados ravissantes, vêtues de robes de soirée et arborant un maquillage scintillant, se tenaient devant elle.

La plus grande était brune avec des clavicules saillantes, un chignon de danseuse déstructuré et une rose tatouée à l'intérieur du poignet. Madeline Vega, qui figurait sur la photo de profil Facebook de Sutton. Les deux autres filles avaient des cheveux jaune maïs et des yeux bleu pâle. Chacune d'elles tenait un iPhone à la main. La première était tirée à quatre épingles ; elle portait une robe-chemise, un bandeau blanc dans les cheveux et des sandales à semelles compensées surmontées d'un nœud en ruban. L'autre semblait s'être échappée d'une vidéo de Green Day avec son maquillage surchargé, sa robe à carreaux écossais, ses cuissardes et les dizaines de bracelets en caoutchouc noir qui pendaient à ses poignets. Ce devait être Gabriella et Lilianna, les Jumelles Twitteuses.

– On t'a eue !

Madeline adressa un faible sourire à Emma, et les jumelles grimacèrent.

– Depuis quand on se la joue écolo ? soupira bruyamment Charlotte. Le recyclage ne fait pas partie de nos règles.

Madeline tira sur le bas de sa courte robe blanche qui s'évasait sur ses cuisses.

– Techniquement, ce n'était pas une répétition, Char, se justifia-t-elle. Sutton savait que c'était nous depuis le début. (Elle brandit un tube de rouge à lèvres qu'elle pressa de nouveau entre les omoplates de la jeune fille.) Même le chihuahua de ma mère se serait rendu compte que ça n'était pas un flingue.

Emma s'écarta brusquement. Elle était bel et bien tombée dans le panneau. Puis elle réalisa que Madeline venait de l'appeler Sutton, comme le père de Charlotte un peu plus tôt.

– Attendez une minute, bredouilla-t-elle en luttant pour recouvrer l'usage de sa voix. Je ne suis pas…

Charlotte lui coupa la parole sans détacher son attention de Madeline.

– Même si Sutton savait que c'était toi, ça reste contraire aux règles, et tu le sais.

Elle avait une voix sarcastique et un regard pénétrant. Même si elle n'était pas la plus jolie du groupe, c'était visiblement la dominante – celle qui commandait.

– Et puis, d'habitude, on ne fait pas ce genre de chose avec elles, ajouta-t-elle en désignant Gabriella et Lilianna, qui baissèrent les yeux d'un air penaud.

Madeline tripota le bracelet en cuir de son énorme montre.

– Pas la peine de t'énerver. Ce n'était pas prévu. Mais j'ai vu Sutton et j'ai eu envie de... d'improviser.

Charlotte se rapprocha d'elle et bomba le torse.

– On a établi les règles ensemble. Tu t'en souviens, ou les chignons que tu te fais pour ton cours de danse classique sont tellement serrés qu'ils coupent la circulation dans ton cerveau ?

Le menton de Madeline trembla brièvement. Avec ses grands yeux, ses pommettes hautes et ses lèvres bien dessinées, elle ressemblait à une figure de proue. Puis Emma remarqua qu'elle caressait discrètement la patte de lapin pendue au porte-clés de son sac, comme si toute sa beauté ne lui avait guère porté chance dans la vie.

– C'est toujours mieux que de porter des jeans tellement serrés qu'ils coupent la circulation dans ton cul, répliqua-t-elle.

Je tendis la main vers Madeline, mais mes doigts passèrent au travers de sa peau.

– Mads ? appelai-je. (J'essayai de toucher l'épaule de Charlotte.) Char ?

Cette dernière ne réagit pas. Je n'avais aucun souvenir d'elle et des autres. Je savais qu'elles étaient mes amies, mais je ne savais pas pourquoi. Comment pouvaient-elles confondre Emma avec moi ? Comment pouvaient-elles ne pas se rendre compte que j'étais morte ?

– Euh, les filles, commença Emma en regardant de l'autre côté de la large avenue, où l'entrée de Sabino Canyon scintillait dans la lumière du couchant. J'ai quelque chose à faire.

Madeline la fixa d'un air morne.

– Ben oui : aller à la soirée de Nisha.

Passant son bras autour de celui d'Emma, elle entraîna la jeune fille vers un petit portail en fer forgé. Celui-ci donnait sur le jardin situé derrière la maison dans l'allée de laquelle elles se tenaient.

– Écoute, je sais que tu as des problèmes avec Nisha, mais ce sera la dernière fête avant que les cours recommencent demain. Et ce n'est pas comme si tu étais obligée de lui parler. Tu peux m'expliquer où tu étais passée ? On a essayé de te joindre toute la journée. Et qu'est-ce que tu foutais assise devant l'entrée de Sabino ? On aurait dit un zombie.

– Ouais, c'était flippant, renchérit Lilianna.

– Super flippant, approuva Gabriella avec la même voix.

Plongeant une main dans sa poche, elle en sortit un petit flacon de médicaments. Elle l'ouvrit, fit tomber deux pilules dans sa main, les mit dans sa bouche et les avala avec une gorgée de Coca light. *Une fêtarde,* songea Emma, méfiante. Elle dévisagea les quatre filles. Devait-elle leur dire qui elle était vraiment ? Et si Sutton avait raison : si c'était dangereux ?

Soudain, elle tâta son épaule et se rendit compte qu'elle avait perdu son sac de marin dans le faux enlèvement. Elle regarda de l'autre côté de la rue : il était toujours sur le banc. Elle devait s'échapper le plus vite possible pour le récupérer. Si Sutton arrivait entretemps, peut-être le verrait-elle et comprendrait-elle qu'elle était passée par là.

– Attends une seconde, dit Emma en s'arrêtant près d'un gros cactus fleuri en pot.

Elle dégagea son bras et sortit son portable de sa poche – du moins ne l'avait-elle pas laissé dans son sac. *Pas de nouveau message.* Protégeant l'écran de sa main libre, elle composa un texto qu'elle envoya au numéro que Sutton lui avait envoyé sur Facebook la veille au soir. *Tes amies m'ont trouvée. Je suis à une fête de l'autre côté de la rue. Elles me prennent pour toi. Je ne sais pas quoi leur dire. Dépêche-toi de m'envoyer tes instructions, d'ac ?*

Emma tapait vite. Elle s'était bien douté que sa troisième place au concours du texto le plus rapide de Las Vegas, deux ans auparavant, lui serait utile un jour. Quand elle eut fini, elle appuya sur « Envoi ». Là. Sutton n'aurait qu'à la rejoindre ici et à dissiper le malentendu. Ou bien, Emma pourrait la retrouver plus tard et faire semblant d'être sa sœur pendant toute la fête.

– À qui tu écris ? (Madeline se pencha pour essayer de voir l'écran de son téléphone.) Et pourquoi tu utilises encore ton BlackBerry ? Je croyais que tu t'étais débarrassée de ce vieux machin.

Emma remit très vite son portable dans sa poche. Se souvenant de la page Facebook de Sutton, elle se redressa et jeta à Madeline le même regard charmeur qu'elle avait observé chez sa sœur dans les vidéos YouTube.

– Tu aimerais bien le savoir, pétasse, hein ?

À peine ces mots avaient-ils franchi ses lèvres qu'Emma referma la bouche et rentra le ventre. Elle n'aurait pas été plus surprise si elle avait craché un bouquet de marguerites. Ce genre de réponse finissait généralement sur sa liste de « Vannes Que J'Aurais Voulu Balancer », pas dans ses conversations réelles.

Madeline renifla d'un air hautain.

– Comme tu voudras, grognasse. (Elle sortit son iPhone, dont le dos s'ornait d'un autocollant représentant une danseuse classique au-dessus des mots « MAFIA DU LAC DES CYGNES ».) Tout le monde autour de moi !

Les autres obtempérèrent et se fendirent d'un grand sourire tandis que Madeline tendait son téléphone à bout de bras. Sur la gauche des autres, Emma ne parvint à esquisser qu'un vague rictus.

Puis elles remontèrent l'allée. Avec la tombée de la nuit, la température avait sensiblement baissé ; la fraîcheur de l'air faisait ressortir les arômes mélangés de charbon de bois, de bougies à la citronnelle et de cigarettes. Gabriella et Lilianna twittaient en marchant. Comme les filles dédaignaient la porte d'entrée pour suivre l'allée pavée qui longeait le côté de la maison, Charlotte tira Emma en arrière.

– Tu vas bien ? lui demanda-t-elle en rajustant le décolleté de sa robe à manches volantées pour qu'on ne voie pas la large bretelle de son soutien-gorge.

Des milliers de taches de rousseur piquetaient ses bras.

– Oui, pas de problème, répondit Emma sur un ton enjoué alors que ses mains tremblaient toujours et que son cœur battait encore la chamade.

– Où est Laurel ? (Charlotte sortit un tube de gloss de son sac et s'en remit une couche.) Je croyais qu'elle devait venir avec toi.

Emma écarquilla les yeux. Laurel était la sœur adoptive de Sutton, pas vrai ? Elle aurait bien voulu avoir une application Wikipédia spéciale Sutton sur son BlackBerry.

– Euh…

Charlotte haussa les sourcils.

– Ne me dis pas que tu l'as encore plantée ! (Elle agita un index taquin sous le nez d'Emma.) Tu es une très vilaine sœur !

Avant qu'Emma puisse répondre, elles pénétrèrent dans le jardin. Quelqu'un avait suspendu en travers d'une cabane à outils peinte en saumon une bannière avec ces mots : « BYE-BYE L'ÉTÉ ! » Des filles en longue robe à fleurs et des garçons en polo Lacoste bavardaient en petits groupes. Deux types musclés en T-shirts trempés, marqués « ÉQUIPE DE WATER-POLO DE HOLLIER », se tenaient dans la piscine avec deux filles en bikini sur les épaules, prêts pour une joute aquatique. Une fille aux cheveux bouclés, avec des boucles d'oreilles en plumes, s'esclaffait bruyamment avec un beau gosse qui ressemblait à Tiger Woods en plus jeune.

Il y avait une longue table couverte de hot-dogs mexicains, de burritos végétariens, de sushis et de fraises trempées dans du chocolat. Une seconde table croulait sous les bouteilles de soda, les cannettes de bière au gingembre, plusieurs grands saladiers de punch et des pichets pleins de Beefeater ou de Cuervo.

– Ouah, ne put s'empêcher de souffler Emma à la vue de tout cet alcool.

Elle n'était pas une grande buveuse. Une fois, Alex et elle s'étaient soûlées en jouant à un jeu à boire devant *Twilight*, et elles s'étaient relayées pour vomir dans le jardin de pierres zen de Mme Stokes. Et puis, Emma ne savait jamais quoi faire pendant ce genre de soirée. Elle se sentait toujours timide et réservée, gênée par son statut d'enfant placée.

– N'est-ce pas ? murmura Madeline en se rapprochant d'Emma. (Elle aussi regardait la table des boissons.) Ce n'est pas la joie à la Casa Banerjee depuis la mort de la mère de Nisha. Son père est tellement distrait que si elle distribuait des pipes à fumer le crack à tous ses invités, il ne s'en apercevrait sans doute pas.

Quelqu'un toucha le bras d'Emma.

– Hé, Sutton ! lança un grand garçon athlétique, le genre qui devait être capitaine d'une équipe de sport quelconque.

Emma lui sourit de toutes ses dents.

Une petite brune menue, qui se tenait devant la porte-fenêtre près de la table des boissons, agita la main pour attirer l'attention de la jeune fille.

– J'adore ta robe, roucoula-t-elle. Elle vient de chez BCBG ?

Emma ne put se défendre contre un pincement de jalousie. Non seulement Sutton avait une vraie famille, mais apparemment, elle était archi-populaire. Comment se faisait-il qu'Emma ait une vie aussi merdique et que celle de sa jumelle soit aussi géniale ?

J'étais loin de partager son avis sur la question, puisque après tout, je n'avais plus de vie à proprement parler.

D'autres adolescents passèrent près de Sutton, leur visage s'éclairant quand leur regard se posait sur la jeune fille. Emma leur rendit leurs sourires et rit avec eux. Elle se sentait comme une princesse qui accueille ses loyaux sujets. C'était si agréable que la tête lui tournait presque. Elle comprenait maintenant pourquoi les plus timides des lycéens perdaient parfois toutes leurs inhibitions en montant sur scène pour jouer la pièce de fin d'année.

– Ah, te voilà ! gronda une voix masculine très sexy à l'oreille d'Emma.

Faisant volte-face, celle-ci découvrit un séduisant jeune homme blond en polo gris et bermuda kaki. Une photo Facebook s'imposa à son esprit. C'était Garrett, le petit ami de Sutton.

– Je n'ai pas réussi à te joindre de toute la journée, se plaignit-il en lui tendant un gobelet de plastique

rouge plein. Je t'ai appelée, je t'ai envoyé des textos...
Où étais-tu passée ?

Je voulais hurler : « Je suis là ! » Des fragments de
souvenirs clignotaient dans ma tête : baisers, prome-
nades main dans la main, slow le soir du bal de
promo... J'entendis très clairement les mots « Je
t'aime ». Le désespoir me submergea.

– Oh, j'étais dans le coin, répondit vaguement
Emma. Mais parfois, il faut savoir couper le cordon,
tu ne crois pas ?

Elle enfonça un index joueur dans les côtes de
Garrett. Elle avait toujours rêvé de dire ça à ses ex
les plus envahissants, ceux qui passaient leur vie à lui
envoyer des textos et qui paniquaient quand elle ne
répondait pas immédiatement. Et puis, c'était le
genre de chose que Sutton aurait pu dire.

Garrett l'attira contre lui et lui caressa les cheveux.

– Heureusement que je t'ai retrouvée.

Une de ses mains descendit vers l'épaule d'Emma,
puis vers sa poitrine.

– Euh, bredouilla la jeune fille en se dégageant
brusquement.

Ce dont je lui fus très reconnaissante.

Garrett leva les mains en signe de reddition.

– Désolé.

Ce fut alors que le BlackBerry d'Emma vibra
contre sa hanche. Son cœur fit un bond dans sa
poitrine. *Sutton !*

– Je reviens tout de suite, promit-elle à Garrett.

Le jeune homme acquiesça, et elle s'éloigna à
travers la foule d'adolescents en direction de la
maison. Quand Garrett pivota pour discuter avec un

grand Asiatique qui portait un maillot de la Coupe du Monde, Emma se plia en deux et fila vers le portail en fer forgé.

Comme elle tournait la tête pour jeter un dernier coup d'œil au jardin, elle remarqua que quelqu'un l'observait, debout près de la grande table en tek. C'était une fille à la peau mate, aux grands yeux et aux lèvres pincées. Elle portait une robe-portefeuille jaune, et un large bracelet doré ceignait le haut de son bras. Emma la reconnut d'après la photo de l'équipe de tennis à laquelle appartenait sa sœur : c'était Nisha, l'organisatrice de la fête. Elle la dévisageait comme si elle voulait la prendre par la peau du cou et la jeter dehors.

Emma, qui était plutôt du genre à se montrer gentille et conciliante pour ne pas faire de vagues, faillit agiter la main et lui sourire. Mais elle se retint et, pensant à Sutton, se contenta de jeter un regard insolent à l'autre fille. Une expression outrée se peignit sur le visage de Nisha. Elle détourna la tête si vivement que sa queue de cheval gifla la fille qui se tenait derrière elle.

Un vague malaise me gagna. De toute évidence, Nisha et moi étions à couteaux tirés. Mais du diable si je savais pourquoi.

6

COMMENT RÉSISTER À QUELQU'UN
QUI FAIT LA GUEULE ?

Tout était calme et tranquille dans l'allée devant la maison des Banerjee. Des criquets chantaient dans les buissons, et Emma appréciait la fraîcheur de l'air nocturne sur sa peau nue. La lumière bleuâtre d'un poste de télé clignotait derrière la fenêtre d'une autre maison, un peu plus loin dans l'avenue.

Un chien aboya derrière un muret de pierre. Le pouls d'Emma ralentit enfin, et ses épaules crispées se détendirent. Sortant son BlackBerry de sa poche, elle regarda l'écran. Le texto qu'elle avait reçu provenait de Clarice. *J'ai eu ton message. Tout va bien ? Appelle si tu as besoin de quelque chose.*

Emma l'effaça et rafraîchit sa boîte de réception. *Pas de nouveau message.*

Elle tourna la tête vers la route. De l'autre côté de celle-ci, un énorme projecteur anti-tempête éclairait le parking de Sabino. Emma hoqueta. Le banc sur lequel elle s'était assise un peu plus tôt était maintenant désert. Quelqu'un avait-il emporté son sac ? Où était Sutton ? Et qu'allait-elle faire après la fête ? Son portefeuille était resté dans ce sac. À présent, Emma n'avait plus ni argent, ni pièce d'identité.

Entendant un bruit léger, elle reporta son attention sur la maison des Banerjee. Il n'y avait personne dans l'allée. Puis un autre bruit, plus sec, résonna dans l'air : celui d'une cannette de soda qu'on ouvrait. Emma pivota. Quelqu'un se tenait sous le porche de la maison voisine – un homme. Un télescope se dressait près de lui, mais il n'avait d'yeux que pour Emma. Celle-ci eut un mouvement de recul.

– Oh ! Désolée.

Le type fit un pas vers elle, sortant de l'ombre. Emma détailla ses pommettes saillantes, ses yeux ronds, ses sourcils épais et ses cheveux coupés très court. Il avait les lèvres pincées et une mine sévère qui semblait dire « Mêle-toi de tes affaires ». Il était moins bien habillé que les lycéens qui assistaient à la fête. L'ourlet de son short de randonnée s'effilochait, et son T-shirt gris usé jusqu'à la trame moulait sa poitrine musclée.

Je connaissais ce garçon, mais une fois de plus, je ne savais pas d'où.

Des gloussements montèrent du jardin de Nisha. Emma jeta un coup d'œil par-dessus son épaule avant de détailler de nouveau l'inconnu. Elle était intriguée par son air maussade et par le fait qu'il ne semblait nullement se soucier de la fête qui battait son plein juste à côté. Elle avait toujours eu un faible pour le genre ténébreux.

— Pourquoi tu n'es pas à la soirée ? demanda-t-elle.

Le type la fixa sans répondre de ses grands yeux pareils à deux lunes.

Emma longea le trottoir jusqu'à ce qu'elle arrive à hauteur de sa maison.

— Qu'est-ce que tu regardes ? interrogea-t-elle en désignant le télescope.

L'inconnu ne cilla même pas.

— Vénus ? suggéra Emma. La Grande Ourse ?

Un petit bruit s'échappa de la gorge du garçon. Il passa une main dans sa nuque et se détourna. Emma en fit autant.

— Comme tu voudras, lança-t-elle sur un ton aussi désinvolte que possible. Reste tout seul dans ton coin, je m'en fiche.

— Les Perséides, Sutton.

Emma pivota de nouveau vers lui. Donc, il connaissait sa sœur.

— C'est quoi, les Perséides ?

L'inconnu agrippa la rambarde du porche.

— Une pluie de météores.

Emma se dirigea vers lui.

— Je peux voir ?

Il ne réagit pas tandis qu'elle traversait son jardin. Sa maison était un petit bungalow couleur de sable, avec une simple toiture soutenue par une demi-douzaine de piliers en guise de garage. Quelques cactus s'alignaient le long du trottoir.

73

De près, il sentait la racinette[1]. La lumière du porche éclairait son visage, révélant le bleu perçant de ses prunelles.

Une assiette contenant une moitié de sandwich avait été abandonnée sur la balancelle, et deux livres reliés de cuir gisaient par terre. *Œuvres complètes de William Carlos Williams*, était embossé sur la couverture en piteux état du premier volume. Jamais encore Emma n'avait rencontré de garçon qui lise de la poésie – ou du moins, qui lise de la poésie et qui soit prêt à l'admettre.

Finalement, l'inconnu détourna les yeux, baissa le télescope pour le mettre à la taille d'Emma et s'écarta. La jeune fille colla son œil contre le petit bout de l'instrument.

– Depuis quand t'y connais-tu en astronomie ? demanda le garçon.

– Je n'y connais rien du tout, le détrompa Emma. Je m'amuse à donner mes propres noms aux étoiles.

– Quel genre de noms ?

Elle tripota le cache en plastique noir suspendu à une ficelle.

– La Pétasse, par exemple. Là, dit-elle en désignant un petit point lumineux au-dessus des toits.

Quelques années auparavant, elle l'avait baptisée ainsi à cause de Maria Rowan, une fille de sa classe de 5e qui avait renversé un verre de limonade sous son bureau pendant un cours d'espagnol et raconté à tout le monde qu'elle était incontinente. Emma avait

1. NdT : Boisson gazeuse parfumée à la vanille, à la réglisse et à un tas d'autres extraits de plantes, très populaire aux États-Unis et au Canada.

longtemps rêvé de la satelliser, comme les dieux grecs qui bannissaient autrefois leurs enfants dans le monde du dessous pour l'éternité.

L'inconnu eut un petit rire pareil à une quinte de toux.

– En fait, je crois que ta Pétasse fait partie de la Ceinture d'Orion.

Emma pressa la main sur sa poitrine telle une Belle du Sud offensée.

– Tu parles comme ça à toutes les filles ?

Le garçon se rapprocha légèrement d'elle, et leurs bras faillirent se toucher. Le cœur d'Emma remonta dans sa gorge. C'était si facile, si naturel ! Un instant, elle pensa à Carter Hayes, le capitaine de l'équipe de basket-ball du lycée de Henderson, qu'elle avait long-temps adoré en silence. Elle avait noté des tas de répliques spirituelles dans sa liste de « Trucs À Dire Pour Draguer », mais chaque fois qu'elle se retrou-vait seule avec Carter, elle finissait toujours par lui parler d'*American Idol* – alors qu'elle n'aimait même pas cette émission !

L'inconnu leva la tête pour contempler le ciel.

– Les autres étoiles qui entourent Orion devraient peut-être être rebaptisées la Menteuse et l'Infidèle. Deux polissonnes qu'Orion a traînées par les cheveux jusque dans sa caverne.

Il jeta à Emma un regard entendu.

La jeune fille s'accouda à la rambarde. Elle ne pouvait pas savoir à quoi son interlocuteur faisait allu-sion.

– On dirait que tu y as beaucoup réfléchi, hasarda-t-elle.

– Peut-être.

Il avait les cils les plus longs qu'elle ait jamais vus. Mais soudain, son regard charmeur se fit... inquisiteur. Ce fut alors qu'un souvenir le concernant m'assaillit – pas un fragment de scène ni même une image, juste un curieux mélange de gratitude et d'humiliation qui s'évanouit presque aussitôt.

L'inconnu détacha son regard d'Emma et se frotta vigoureusement le sommet du crâne.

– Désolé. C'est juste que... On n'a pas vraiment parlé depuis que... Tu sais. Ça fait un moment.

– Rien ne vaut le présent, répliqua Emma.

L'ombre d'un sourire fleurit sur les lèvres du garçon.

– Ouais.

Ils se dévisagèrent. Des lucioles voletaient autour d'eux. Un parfum de fleurs sauvages chatouilla brusquement les narines d'Emma.

– Sutton ? appela une voix de fille dans l'obscurité.

L'inconnu se raidit. Emma pivota.

– Où est-elle passée ? demanda quelqu'un d'autre.

Emma coinça ses cheveux derrière ses oreilles. Dans l'allée qui conduisait à la maison des Banerjee, elle distingua deux silhouettes. Les Doc Martens de Lilianna faisaient un boucan d'enfer. Gabriella tendait son iPhone devant elle, utilisant l'application « lampe-torche » pour éclairer son chemin.

– J'arrive tout de suite ! cria Emma. (Elle jeta un coup d'œil au garçon.) Pourquoi tu ne viens pas à la soirée ?

Il émit un bruit de gorge indigné.

– Non merci.

– Allez, insista-t-elle en souriant. Je te raconterai tout sur la Dévergondée, le Rat de Bibliothèque…

Les filles atteignirent l'allée de la maison de l'inconnu.

– Sutton ? glapit Lilianna en plissant les yeux pour voir par-delà la lumière du porche.

– Qui est là ? ajouta Gabriella.

Une porte claqua. Emma fit volte-face. Le garçon avait disparu. La couronne de fleurs séchées pendue à la porte d'entrée du bungalow se balançait encore. Un verrou cliqueta, et quelques secondes plus tard, un store vénitien s'abaissa derrière une baie vitrée. *D'aaaaaccord.*

Lentement, Emma rejoignit les jumelles.

– C'était bien Ethan Landry ? s'enquit Gabriella.

– Vous parliez de quoi ? demanda sa sœur en même temps, d'une voix frémissante de curiosité. Qu'est-ce qu'il t'a dit ?

Charlotte apparut derrière les jumelles. Elle avait les joues rouges et le front luisant de sueur.

– Que se passe-t-il ?

Gabriella, qui était en train de pianoter sur son téléphone, s'interrompit.

– Sutton parlait à Ethan.

– Ethan Landry ? (Charlotte haussa vivement les sourcils.) Tu veux dire que M. Le Rebelle Sans Cause a une langue ?

Ethan. Au moins, j'avais désormais un nom à associer à son visage. Et Emma aussi.

Puis elle remarqua la mine perplexe des trois filles, et elle s'en voulut d'avoir instantanément accroché avec un garçon qui ne faisait pas partie du cercle

officiel de Sutton. Elle consulta de nouveau son téléphone. Toujours pas le moindre message de sa sœur.

Le regard de Charlotte la transperçait comme un
rayon laser. Emma sentit qu'elle devait trouver une
explication, et vite.

— Je crois que j'ai trop bu, bredouilla-t-elle.

Charlotte fit claquer sa langue.

— Oh, ma pauvre. (Prenant Emma par le bras, elle
l'entraîna vers la longue file de voitures garées devant
chez les Banerjee.) Je vais te ramener chez toi.

Soulagée que Charlotte ait cru son mensonge,
Emma redressa les épaules. Puis elle réalisa ce que
l'autre fille venait de dire. Elle allait la conduire chez
Sutton.

— Oh, oui, s'il te plaît, dit-elle avec empressement.

Elle suivit Charlotte sans se faire prier.

J'avoue que je fus tout aussi soulagée qu'elle. Peut-
être allais-je enfin découvrir des réponses à mes
questions.

7

LA CHAMBRE QU'EMMA N'AVAIT JAMAIS EUE

Charlotte gara sa grosse Jeep Cherokee noire le long du trottoir et passa au point mort.

– Nous sommes arrivées, mâdâme, dit-elle avec un faux accent britannique.

Elle s'était arrêtée devant une maison en stuc à un étage, aux grandes fenêtres arrondies dans le haut. Des palmiers, des cactus et deux très beaux parterres de fleurs encadraient une allée de gravier. Des jardinières de pierre massives s'alignaient des deux côtés de l'arche qui conduisait à la porte d'entrée ; des carillons à vent pendaient sous le porche, et un soleil de terre cuite était accroché sur la façade du garage assez grand pour accueillir trois véhicules. Un simple M majuscule ornait le flanc de la boîte aux lettres qui se dressait au bord du trottoir. Deux voitures stationnaient dans l'allée : une Volkswagen Jetta et un gros SUV Nissan.

Une seule chose me vint à l'esprit tandis que je contemplais tout cela : *Chez moi. Je suis chez moi.*

– Inutile de se demander laquelle des jumelles a tiré la courte paille, marmonna Emma entre ses dents.

Si seulement Becky l'avait abandonnée la première !

– Qu'est-ce que tu dis ? demanda Charlotte.

Emma tira sur un fil qui dépassait de sa robe.

– Rien.

Charlotte toucha son bras nu.

– Mads t'a foutu la trouille ?

Emma détailla les cheveux roux et la robe bleue de l'autre fille. Elle aurait tellement voulu lui raconter ce qui se passait ! Mais elle ne pouvait pas. Alors, elle mentit.

– Je savais que c'était elles depuis le début.

– Tant mieux. (Charlotte monta le son de la radio.) On se voit demain, espèce de poivrote. N'oublie pas de prendre des tas de vitamines avant de t'écrouler. Oh, et ça te dit de dormir chez moi vendredi soir ? Je te promets qu'on s'amusera. Mon père n'est pas encore rentré de voyage, et ma mère ne nous embêtera pas.

Emma fronça les sourcils.

– Ton père est en voyage ?

Elle repensa à l'homme qu'elle avait vu à Sabino Canyon.

Elle vit de l'inquiétude passer brièvement sur le visage de Charlotte – la première faille qu'elle décelait

80

dans l'armure de la rouquine depuis le début de la soirée.

– Il est à Tokyo depuis un mois. Pourquoi ?

Emma passa une main dans sa nuque.

– Pour rien.

Elle avait dû confondre M. Chamberlain avec quelqu'un d'autre.

Descendant de voiture, elle claqua la portière derrière elle et remonta lentement l'allée. Les orangers et les citronniers répandaient une bonne odeur d'agrumes. Un manche à air argenté dansait sous l'avant-toit. Les arabesques que dessinait le stuc lui firent penser au glaçage sur un gâteau.

Jetant un coup d'œil par la baie vitrée du salon, elle aperçut un lustre en cristal et un piano à queue. À une des fenêtres de l'étage, un autocollant réfléchissant indiquait : ENFANT À L'INTÉRIEUR. PRIORITAIRE EN CAS D'INCENDIE. Aucune famille d'accueil ne s'était jamais donné la peine de mettre ce genre d'autocollant à la fenêtre de la chambre d'Emma.

La jeune fille se disait qu'elle aurait bien voulu prendre une photo quand elle entendit un moteur rugir derrière elle. Pivotant, elle vit Charlotte qui l'observait au volant de sa Jeep, un sourcil en l'air. *Va-t'en*, l'implora silencieusement Emma. *Je vais bien.*

Mais la Jeep ne bougea pas. Emma balaya le trottoir du regard, s'accroupit et retourna une grosse pierre située près du porche. À sa grande surprise, elle trouva une clé argentée dessous. Elle faillit éclater de rire. Cacher une clé sous une pierre, c'était le genre de chose qu'on voyait seulement à la télé. Les gens ne faisaient jamais ça dans la vraie vie – du moins l'avait-elle toujours cru.

Emma grimpa les marches du porche et introduisit la clé dans la serrure, qui tourna sans se faire prier. Elle actionna la poignée et se retourna pour agiter la main. Satisfaite, Charlotte s'éloigna. Le moteur de sa Jeep gronda une dernière fois, et l'obscurité engloutit la lumière rouge de ses feux arrière. Alors, Emma prit une grande inspiration et poussa la porte de la maison.

Ma maison, même si je ne me souvenais pas de grand-chose à son sujet. Le craquement de la balancelle sur laquelle j'aimais m'asseoir pour lire des magazines. L'odeur du parfum d'intérieur à la lavande que ma mère vaporisait partout. Je me rappelais très clairement le bruit que faisait notre sonnette, deux notes aiguës pareilles à un pépiement, et je savais que le battant résistait parfois un peu avant de s'ouvrir. Mais à part ça...

Le vestibule était frais et silencieux. Des ombres dégoulinaient le long du mur, et la grande horloge en bois égrenait les secondes dans un coin. Les lattes du plancher craquèrent sous les pieds d'Emma lorsque celle-ci s'avança d'un pas hésitant sur le tapis rayé qui se déroulait jusqu'à l'escalier. La jeune fille tendit la main vers un interrupteur tout proche, puis se ravisa et la retira. Elle s'attendait presque à ce qu'une alarme se déclenche, à ce qu'une cage s'abatte sur sa tête et que des gens jaillissent dans le vestibule en hurlant : « Une intruse ! »

Saisissant la rambarde de l'escalier, Emma gravit les marches dans le noir et sur la pointe des pieds.

Peut-être que Sutton se trouvait à l'étage. Peut-être qu'elle s'était endormie, et que toute cette histoire n'était qu'un malentendu. Avec un peu de chance, cette soirée pouvait encore être sauvée, et Emma aurait droit aux retrouvailles de conte de fées qu'elle avait imaginées.

Sur le palier, un panier en osier brun rempli de serviettes sales était posé à l'entrée d'une salle de bains carrelée de blanc. Deux veilleuses brillaient au-dessus de la plinthe, projetant des colonnes de lumière jaunâtre sur le mur. Quelque chose de métallique tintait derrière une porte fermée au bout du couloir.

Emma pivota pour détailler la porte d'une des chambres. Des photos de mannequins en train de défiler sur un podium, ainsi que de James Blake et Andy Roddick jouant sur le court central de Wimbledon, étaient scotchées à hauteur de ses yeux. Une pancarte rose pailletée, marquée « SUTTON », pendait à la poignée. *Bingo.* Emma posa la main sur celle-ci, qui céda facilement et sans bruit.

La chambre embaumait la menthe, le muguet et l'adoucissant textile. Le clair de lune entrait à flots par la fenêtre, se déversant sur un lit à baldaquin encore fait. Un tapis à imprimé girafe s'étendait à gauche de ce dernier. Dans le coin le plus proche, un fauteuil en forme d'œuf était jonché de T-shirts, de hauts de bikini et de chaussettes de tennis roulées en boule. Sur l'appui de la fenêtre s'alignaient des bougies dans de gros récipients bleus ou verts, ainsi que des bouteilles de vin en verre brun du goulot desquelles jaillissaient quelques fleurs. Des emballages vides de chocolat français Valrhona gisaient éparpillés entre elles.

Toutes les surfaces disponibles étaient couvertes de coussins : il y en avait au moins une dizaine sur le lit, trois sur le fauteuil, plus quelques-uns abandonnés par terre. Sur un long bureau en bois blanc reposaient un Mac Air éteint et une imprimante. « VENEZ FÊTER LES 18 ANS DE SUTTON ! TENUE FABULEUSE EXIGÉE ! » annonçait un carton d'invitation posé près de la souris. Sous le bureau, un meuble de rangement était muni d'un gros cadenas rose et d'un autocollant marqué : « JEU DU M. »

Mais un élément capital manquait dans ce décor, songea Emma. Sutton.

Je promenai un regard à la ronde en même temps qu'elle, espérant que cela ferait jaillir une lueur dans mon esprit − que je tomberais sur un indice qui rallumerait ma mémoire. Était-il significatif que la fenêtre donnant sur l'arrière de la maison soit à demi ouverte ? Avais-je délibérément laissé le dernier *Teen Vogue* ouvert à la page consacrée à la Fashion Week de Londres ? Je ne me rappelais pas avoir lu ce numéro, et j'aurais été bien en peine de dire pourquoi je m'étais arrêtée là. Je ne me souvenais d'aucun des objets qui se trouvaient dans cette pièce et qui m'appartenaient encore la veille.

Emma consulta son téléphone. *Pas de nouveau message.* Elle brûlait d'explorer la maison, mais que se passerait-il si elle se cognait à quelque chose − ou pire, à quelqu'un ? Très vite, elle composa un texto : *Je suis dans ta chambre. Réponds-moi pour me dire que tout va bien. Je me fais du souci.*

À peine l'avait-elle envoyé au numéro de Sutton qu'un bip étouffé s'éleva à l'autre bout de la chambre, la faisant sursauter. Emma se dirigea vers sa source et vit un iPhone dans un étui rose et un portefeuille Kate Spade bleu près de l'ordinateur. Elle sortit le téléphone et hoqueta. Le texto qu'elle venait d'envoyer s'affichait sur l'écran.

Elle fit défiler tous les autres messages que Sutton avait reçus ce jour-là. Au milieu des siens, elle en trouva un qui provenait de Laurel Mercer et qui avait été envoyé à 20 : 20. *Merci de m'avoir posé un lapin, salope.*

Emma lâcha l'iPhone et recula précipitamment comme s'il était couvert de moisissure toxique. *Je ne devrais pas regarder ses messages,* se morigéna-t-elle. Sutton pouvait débarquer à tout moment et la surprendre en train de fouiller dans ses affaires. Ce ne serait pas une base idéale pour le début de leur relation.

Reprenant son BlackBerry, Emma envoya à sa sœur un message privé sur Facebook pour lui dire la même chose. Sutton pouvait très bien se trouver au rez-de-chaussée sur un autre ordinateur. Puis elle examina le reste de la pièce.

Au-dessus du bureau était accroché un panneau d'affichage couvert de photos de Sutton et de ses amies, les filles qu'Emma venait juste de rencontrer. Certains des clichés devaient être récents, comme celui qui montrait Sutton, Charlotte, Madeline et Laurel devant la maison des singes au zoo de Tucson. Charlotte portait la même robe bleue qu'un peu plus tôt à la fête de Nisha. Sur une autre photo, Sutton, Madeline, Laurel et un garçon brun au visage familier se tenaient au bord d'un canyon, près d'une cascade. Sur une troisième, Laurel et le garçon s'éclaboussaient mutuellement pendant que Sutton et Madeline les regardaient d'un air blasé.

Certains autres clichés semblaient assez anciens, remontant peut-être à l'époque du collège. L'un d'eux avait été pris dans une cuisine où les trois amies entouraient un saladier de pâte à biscuits et se menaçaient mutuellement avec des cuillères pleines. Madeline portait un justaucorps de danse classique et était beaucoup plus plate que maintenant. Charlotte avait un appareil dentaire et de grosses joues. Emma détailla Sutton. C'était elle avec quatre ans de moins.

Sur la pointe des pieds, elle s'approcha de la penderie située dans un coin de la chambre et saisit la poignée. Fouiller dans les vêtements de Sutton était-il moins indiscret que de lire ses messages ? Décidant que oui, Emma ouvrit la porte. De l'autre côté, elle découvrit une grande pièce remplie d'étagères et de tringles chargées d'une multitude de cintres. Avec un soupir envieux, elle tendit une main pour caresser les robes, les chemisiers, les vestes, les pulls et les jupes, pressant les plus doux contre sa joue.

Quelques jeux de société s'empilaient au fond du placard : Cluedo, Bonne Paye, Monopoly... Sur le dessus se trouvait un coffret intitulé « LE PETIT ORNITHOLOGUE », contenant un manuel sur les oiseaux et une paire de jumelles. Une étiquette collée sur le dessus disait : « POUR SUTTON, DE LA PART DE PAPA ». La boîte semblait n'avoir jamais été ouverte. Emma devina que Sutton n'avait guère apprécié ce cadeau.

Elle aperçut un classeur à archives bourré de ce qui ressemblait à de vieilles interrogations écrites. Un contrôle d'orthographe datant du CM2 avait mérité un A+, mais un compte rendu de lecture sur *Fahrenheit 451* fait en 3ᵉ s'ornait seulement d'un C rouge et du commentaire suivant : *Visiblement, vous n'avez pas lu le livre.* Puis le regard d'Emma se posa sur un devoir intitulé « L'histoire de ma famille ». *Je ne connais rien de l'histoire de ma vraie famille,* avait tapé Sutton. *J'ai été adoptée peu de temps après ma naissance. Mes parents me l'ont dit quand j'étais petite. Je n'ai jamais rencontré ma mère biologique, et j'ignore tout d'elle.*

Emma eut honte de se sentir sourire, mais elle ne put s'en empêcher.

Repérant une boîte à bijoux sur une étagère, elle souleva le couvercle et fouilla parmi les gros bracelets de Sutton, ses délicats colliers en or et ses pendants d'oreilles en argent. Mais elle ne trouva pas le médaillon que sa sœur portait dans la vidéo de strangulation. Peut-être l'avait-elle au cou en ce moment ?

Je baissai les yeux vers mon corps scintillant. Non, je ne l'avais pas. Peut-être était-il resté sur mon véritable corps. Mon cadavre – où qu'il puisse être.

Le miroir triple qui se dressait au fond du placard renvoyait à Emma des reflets démultipliés de son visage à l'expression ahurie. La jeune fille cligna des yeux à plusieurs reprises. *Où es-tu, Sutton ?* appela-t-elle en silence. *Pourquoi m'as-tu fait venir jusqu'ici si tu ne voulais pas me rencontrer ?*

Elle ressortit de la penderie. Comme elle s'asseyait sur le lit de sa sœur, l'épuisement la submergea tel un raz-de-marée. Sa tête lui faisait mal, et tous ses muscles semblaient changés en éponges tordues pour en exprimer jusqu'à la dernière goutte de liquide.

Elle s'allongea sur le matelas. Il était doux comme un nuage, bien plus confortable que les rectangles en mousse bleue de chez Kmart que lui refilaient immanquablement ses familles d'accueil. D'un coup de pied, elle se débarrassa de ses sandales compensées qui tombèrent sur le sol avec un bruit sourd. Autant attendre là. Sutton finirait bien par rentrer.

Le souffle d'Emma ralentit. Des gros titres imaginaires tourbillonnèrent dans son esprit. « Une fille se fait passer pour sa sœur à une soirée. Sa sœur n'est pas du genre fiable ». Ça irait sûrement mieux le lendemain. « Des jumelles enfin réunies », peut-être ?

Roulant sur le côté, Emma enfouit sa tête dans l'oreiller qui sentait l'adoucissant. Les formes et les ombres se brouillèrent autour d'elle. Encore quelques inspirations, et tout vira au noir pour nous deux.

8

CAFÉ, CROISSANTS ET ERREUR
SUR LA PERSONNE

– Sutton. Sutton !

Quelqu'un secouait Emma par l'épaule.

La jeune fille ouvrit les yeux. Elle se trouvait dans une chambre baignée de lumière, au plafond lisse et dépourvu de fissures. Un bureau et une grosse télé à écran LCD se dressaient à l'endroit précédemment occupé par la vieille commode de Clarice.

Une petite minute. Elle n'était plus chez Clarice. Elle se souvenait, à présent.

Emma s'assit sur le lit.

– Sutton, répéta la voix.

Une femme blonde était penchée sur elle. De fines mèches grises se détachaient sur ses tempes, et elle avait des rides minuscules autour des yeux. Elle portait un tailleur bleu, des chaussures à talons hauts et beaucoup de maquillage. La photo de la famille Mercer en train de trinquer passa brièvement dans l'esprit d'Emma. C'était la mère de Sutton.

La jeune fille bondit sur ses pieds en promenant un regard paniqué autour d'elle.

— Quelle heure est-il ?

— Il te reste exactement dix minutes avant de partir au lycée. (Mme Mercer lui fourra dans les mains une robe encore sur son cintre et une paire de salomés. Un instant, elle détailla Emma.) J'espère que tu ne t'es pas promenée devant la fenêtre ouverte dans cette tenue.

Emma baissa les yeux. Durant la nuit, elle avait enlevé sa robe rayée dans un demi-sommeil, si bien qu'elle ne portait plus qu'un soutien-gorge et un boxer. Très vite, elle croisa les bras sur sa poitrine.

Elle regarda les sandales compensées qu'elle avait laissé tomber par terre la veille. Elles étaient toujours au même endroit, tout comme la pochette argentée de Sutton et son iPhone dans l'étui rose. La réalité reprit le dessus assez brutalement pour donner un haut-le-cœur à Emma. *Sutton n'est pas rentrée cette nuit,* songea la jeune fille. *Elle ne m'a pas vue.*

— Une minute. (Emma saisit le bras de Mme Mercer. Tout ça était allé trop loin. Quelque chose clochait.) C'est une erreur.

— Bien sûr que c'est une erreur. (Traversant la chambre d'un pas vif, Mme Mercer jeta un short de tennis Champion, une brassière de sport, une paire de baskets et une raquette Wilson dans un gros sac rouge sur lequel était brodé le prénom de Sutton.) Tu n'avais pas mis ton réveil ? (Puis elle s'interrompit et se frappa le front de la paume.) Suis-je bête. Évidemment que tu ne l'avais pas mis. Ça ne devrait pas m'étonner de ta part.

Je la regardai poser le sac de sport sur le lit et tirer la fermeture éclair. Ainsi, même ma propre mère ne faisait pas la différence entre Emma et moi.

– Je peux te laisser enfiler tes chaussures toute seule, j'espère ? demanda-t-elle sur un ton pincé, en balançant une des salomés par la bride. (Selon l'étiquette, c'était des chaussures de la ligne MARC BY MARC JACOBS.) Je t'attends en bas pour le petit-déjeuner dans deux minutes.

– Non, protesta Emma. Il faut que je...

Mais Mme Mercer était déjà sortie de la chambre. Elle claqua la porte si fort qu'une photo de Sutton, Laurel, Charlotte et Madeline se détacha du panneau d'affichage et atterrit côté imprimé contre le sol.

Paniquée, Emma regarda autour d'elle. Elle se précipita vers le fauteuil sur lequel elle avait laissé son portable. *Pas de nouveau message*, l'informa celui-ci. Elle consulta l'iPhone abandonné sur le bureau de Sutton. Depuis la veille, sa sœur avait reçu un texto de Garrett. *Tu as disparu hier soir. On se voit en cours ? Biz.*

– C'est de la folie, chuchota Emma.

Le statut qu'elle avait vu sur le profil Facebook de Sutton avant de quitter Las Vegas lui revint en mémoire. « Ça vous arrive parfois d'avoir envie de fuguer ? Moi oui. » Était-il possible que Sutton se soit enfuie en pensant qu'Emma la remplacerait assez longtemps pour lui permettre de prendre une longueur d'avance ? Pieds nus, la jeune fille sortit de la chambre de sa sœur et descendit l'escalier.

Des tas de photos encadrées étaient accrochées dans le couloir du rez-de-chaussée : photos de classe, souvenirs de vacances à Paris ou à San Diego, et un portrait de toute la famille Mercer qui semblait avoir été réalisé durant un mariage très chic à Palm Springs.

Emma suivit l'odeur de café et le son d'un bulletin d'informations matinal jusqu'à la cuisine. Tout un mur de la grande pièce avait été remplacé par une baie vitrée étincelante qui donnait sur une terrasse en brique et sur les montagnes situées au-delà. Les plans de travail étaient foncés, les placards blancs, et il y avait des ananas partout : ananas en bois alignés au-dessus des placards, ananas en céramique contenant des spatules et des louches, pancarte en forme d'ananas marquée « BIENVENUE ! » accrochée près de la porte de derrière.

Debout près de l'évier, Mme Mercer se servait du café. Assise à la table, Laurel disséquait un croissant, vêtue d'une tunique à fleurs ample identique à l'une de celles qu'Emma avait vues dans la penderie de Sutton la veille.

Mercer entra, tenant deux exemplaires du *Wall Street Journal* et du *Tucson Daily Star* encore sous plastique. Emma remarqua qu'il portait une blouse de médecin marquée « J MERCER, CHIRURGIE ORTHO-PÉDIQUE ». Comme sa femme, il était un peu plus âgé que la plupart des parents d'accueil auxquels Emma avait eu affaire – la cinquantaine bien conservée, à vue de nez.

La jeune fille se demanda si les Mercer avaient tenté d'avoir des enfants à eux avant de finir par adopter Sutton. Et Laurel ? Elle avait la même mâchoire carrée que Mme Mercer et les mêmes yeux ronds et bleus que M. Mercer. Peut-être était-elle leur fille biologique. Peut-être Mme Mercer était-elle tombée enceinte dès l'adoption conclue – Emma avait lu un article sur ce phénomène.

Comme elle s'avançait dans la cuisine, tous les occupants de la pièce levèrent les yeux vers elle, y compris un énorme dogue allemand qui abandonna son coussin rayé posé près de la porte et s'approcha en trottinant. Il lui renifla la main, et Emma sentit ses bajoues l'effleurer. D'après la plaque en forme d'os fixée sur son collier, il s'appelait Drake.

Emma se figea. Dans quelques secondes, il allait sans doute s'apercevoir qu'elle n'était pas Sutton et se mettre à aboyer à tue-tête. Mais contrairement à ce qu'elle craignait, le chien ne poussa qu'un léger grognement avant de se détourner et de regagner son coussin.

Un souvenir remonta brusquement à la surface de mon esprit. J'entendis les halètements de Drake ; je sentis sa langue mouillée sur mon visage ; je le vis hurler chaque fois qu'une ambulance passait dans la rue. J'éprouvai une envie lancinante de passer mes bras autour de son cou musclé et d'embrasser sa truffe froide.

Mme Mercer posa un flacon de vitamines sur le plan de travail et s'approcha d'Emma.

– Bois, lui ordonna-t-elle en poussant un verre de jus d'orange vers la jeune fille. Tu as de l'argent pour ce midi ?

– J'ai quelque chose à vous dire, clama Emma d'une voix forte.

De nouveau, tout le monde s'interrompit pour la dévisager. Elle se racla la gorge.

– Je ne suis pas Sutton. Votre fille a disparu. Il se peut qu'elle ait fugué.

Une cuillère tinta contre une assiette, et Mme Mercer arqua les sourcils. Emma se prépara à ce qu'une alarme se déclenche, à ce qu'un feu d'artifice éclate, à ce que des ninjas jaillissent hors de la buanderie pour s'emparer d'elle – n'importe quoi susceptible d'indiquer qu'elle venait de révéler une information très sensible. Mais M. Mercer se contenta de secouer la tête et de boire une gorgée de café dans sa chope ALOHA D'HAWAÏ en forme d'ananas.

– Très bien, alors qui es-tu ?

– Je suis… sa jumelle perdue à la naissance, Emma. Je devais rencontrer Sutton hier, mais… elle n'est jamais venue au rendez-vous.

Mme Mercer cligna très vite des yeux. M. Mercer et Laurel échangèrent un regard incrédule.

– Économise ton imagination pour ta prochaine dissert', conseilla Mme Mercer en prenant un croissant sur un plateau et en le tendant à Emma.

– Je suis sérieuse, insista la jeune fille. Je m'appelle Emma.

– Emma comment ?

– Pa…, commença-t-elle.

Mais Laurel l'interrompit en posant violemment sa tasse de café sur la table.

– Ne me dis pas que tu la crois, maman ! Elle cherche juste un prétexte pour sécher !

– Bien sûr que non, je ne la crois pas. (Mme Mercer poussa une feuille pliée en quatre dans la main d'Emma.) Voici ton emploi du temps. Laurel, tu veux bien monter chercher les chaussures et le sac de sport de la Belle au bois dormant dans sa chambre ?

– Pourquoi c'est à moi de le faire ? geignit l'adolescente.

– Parce que je n'ai pas confiance en ta sœur. (Mme Mercer prit un trousseau sur un porte-clés en forme d'ananas près du téléphone sans fil.) Elle risquerait de se rendormir.

– D'accord, grogna Laurel en repoussant sa chaise.

Emma fixa sans les voir les boutons cuivrés du tailleur de Mme Mercer, puis le cristal qui pendait à son cou. Pourquoi ces gens ne la croyaient-ils pas ? Était-ce si fou de penser que… ?

Peut-être. *Même si je voulais que mes parents écoutent Emma, je devais bien admettre que son histoire ressemblait fort à une invention.*

Laurel se dirigea vers l'escalier.

– Merci beaucoup pour hier soir, espèce de garce, siffla-t-elle en passant près d'Emma.

Celle-ci recula comme si l'adolescente venait de la gifler. Puis elle se souvint de la remarque de Charlotte, la veille. « Ne me dis pas que tu l'as encore plantée ! Tu es une très vilaine sœur ! » Et aussi du texto sur le portable de Sutton : *Merci de m'avoir posé un lapin, salope.*

– Ce n'est pas moi qui t'ai laissée en plan, se défendit-elle en pivotant vers Laurel qui s'éloignait. J'attendais Sutton quand Madeline m'a traînée à la soirée. Je n'ai rien pu faire.

Laurel revint sur ses pas et se planta devant elle.

– Ben voyons. C'est bien ton genre de me lâcher à la dernière minute alors que je t'avais demandé ce service des semaines à l'avance. Je me suis retrouvée coincée à La Porte Rouge. Je parie que tu t'es débrouillée pour que la batterie de mon portable tombe en rade juste au bon moment, pas vrai ? (Elle avait des mèches naturellement plus claires que le reste de ses cheveux, et de minuscules taches de rousseur sur le nez. Elle mâchait rageusement un chewing-gum Juicy Fruit tout neuf.) Où est ton médaillon ?

Emma porta instinctivement la main à son cou et haussa les épaules sans savoir que répondre. Laurel ricana et dit sur un ton glacial :

– Je croyais que tu y tenais beaucoup. Que c'était un bijou unique. « Personne ne me l'enlèvera à moins de me couper la tête ! », chantonna-t-elle en imitant la voix de Sutton.

– Les filles, ne vous disputez pas, ordonna M. Mercer en tendant la main pour attraper son attaché-case en cuir et ses clés de voiture.

– Écoutez votre père, les pressa Mme Mercer. Laurel, va chercher vos sacs. Je te laisse trente secondes. (L'adolescente fit volte-face et s'élança dans l'escalier.) Vous prenez quelle voiture ? Sutton, la tienne est toujours chez Madeline ?

Elle se tourna vers Emma, attendant une réponse.

– Euh, oui, hasarda la jeune fille.

– On prend la mienne, cria Laurel depuis l'étage.

Mme Mercer poussa Emma dans le vestibule. L'odeur de son parfum – *Fracas* – chatouilla les narines de la jeune fille. Celle-ci la regarda droit dans les yeux, essayant de lui montrer qui elle était, et surtout qui elle n'était pas. Une mère ne pouvait quand même pas confondre sa propre fille avec une inconnue !

Mais Mme Mercer se contenta de poser ses mains sur les épaules d'Emma. Un tendon saillait dans son cou.

– Tu veux bien te tenir tranquille aujourd'hui ? (Elle ferma les yeux et poussa un gros soupir.) Nous t'organisons une monstrueuse fête d'anniversaire à la fin de la semaine prochaine. Pour une fois, tu pourrais la mériter ?

Emma frémit, puis acquiesça très vite. Apparemment, les parents de Sutton n'y voyaient que du feu.

Laurel dévala bruyamment l'escalier, serrant une brassée d'affaires contre elle. Elle fourra dans les mains d'Emma les salomés choisies par Mme Mercer, le sac de tennis rouge et un sac à main beige en cuir souple qu'Emma ne se souvenait pas avoir vu dans la chambre de Sutton. Elle jeta un coup d'œil dedans. Le portefeuille Kate Spade bleu et l'iPhone rose étaient nichés dans deux poches intérieures. Au fond du sac, Emma aperçut des stylos, des crayons, un mascara Dior et un iPad flambant neuf. Elle haussa les sourcils. Au moins, elle allait enfin pouvoir en essayer un.

Mme Mercer ouvrit grande la porte d'entrée.

– Fichez-moi le camp.

Laurel sortit sous le porche en faisant tinter ses clés de voiture, attachées à un anneau d'argent auquel pendait également un médaillon « RENVOYER À TIFFANY & CO ». Après avoir précipitamment enfilé les salomés, Emma la suivit. Il lui semblait que si elle résistait, Mme Mercer la pousserait dehors à l'aide de l'aviron décoratif qui se dressait dans un coin du vestibule.

À peine avait-elle franchi le seuil de la maison que de la sueur se mit à perler sur son front. Des arroseurs automatiques sifflaient sur une pelouse de l'autre côté de la rue, et des gamins en uniforme scolaire à carreaux attendaient à l'arrêt de bus.

Tout en descendant l'allée dans le claquement rythmique de ses talons hauts, Laurel foudroya Emma du regard par-dessus son épaule.

– C'était naze comme excuse pour sécher les cours. (Elle appuya sur le bouton qui ornait sa clé de voiture. Deux bips résonnèrent, puis les portières de la Jetta noire garée sous le panneau de basket se déverrouillèrent.) Ta jumelle perdue à la naissance ? Où as-tu été chercher cette idée ?

Emma regardait toujours de l'autre côté de la rue. Elle espérait voir Sutton apparaître sur le trottoir et la rejoindre en sautillant avec des excuses et une bonne explication. Des abeilles indifférentes bourdonnaient autour des buissons en fleurs. La camionnette d'une compagnie de jardiniers paysagistes passa en cahotant. Au loin, les montagnes scintillaient dans la lumière matinale. Sabino Canyon se trouvait dans cette direction.

– Allô, la Terre à Sutton ?

Emma sursauta. Laurel revint vers elle, une petite enveloppe blanche à la main. Le prénom de sa sœur s'y détachait en lettres majuscules.

– Elle était sous mon essuie-glace, commenta Laurel d'une voix teintée d'amertume. Ne me dis pas que tu as *encore* un admirateur secret ?

Emma examina l'enveloppe un moment. Un peu de pollen avait taché le coin supérieur droit. Devait-elle ouvrir un message qui ne lui était pas destiné ? Mais Laurel la fixait ; elle attendait en faisant claquer son chewing-gum. Emma finit par lever les yeux vers elle.

– Tu veux bien me laisser respirer ? demanda-t-elle sèchement.

Il lui semblait que c'était tout à fait le genre de chose qu'aurait dite sa jumelle.

Laurel renifla et s'écarta. Glissant un doigt sous le rabat de l'enveloppe, Emma en sortit une feuille de papier ligné.

Sutton est morte. Ne le dis à personne. Et continue à jouer le jeu, ou tu seras la suivante.

Emma fit volte-face en promenant un regard circulaire autour d'elle, mais le quartier était étrangement calme. Le bus de ramassage scolaire tourna au coin de la rue et s'arrêta pour laisser monter les enfants. Le couinement de ses freins résonna comme un cri étranglé.

– Qu'est-ce que ça dit ? demanda Laurel en se penchant pour voir le message.

Très vite, Emma froissa celui-ci dans sa main.

– Rien d'intéressant, répondit-elle d'une voix à peine audible.

La lèvre supérieure de Laurel se retroussa en un rictus. L'adolescente ouvrit la portière passager de sa voiture et tendit un doigt.

– Monte.

Emma obtempéra sans discuter. Hébétée, elle se laissa tomber dans le siège et regarda droit devant elle sans rien voir. Son cœur battait si fort qu'elle craignait qu'il n'explose.

– Tu es vraiment bizarre, commenta Laurel en démarrant. C'est quoi, ton problème ?

Alors que j'observais les deux filles, des taches se mirent à danser dans mon champ de vision, et un bruit pareil à celui d'une cascade emplit mes oreilles. Le « C'est quoi, ton problème ? » de Laurel se réverbérait comme un écho. Les mots ondulaient, se répétaient et devenaient de plus en plus forts.

Soudain, je vis Laurel assise dans une grotte sombre. De la lumière dansait sur son visage. Les coins de sa bouche étaient abaissés, et elle avait les yeux pleins de larmes. « C'est quoi, ton problème ? C'est quoi, ton problème ? » résonnait dans ma tête comme un glas.

Une étincelle minuscule jaillit dans les ténèbres de mon esprit. Puis une autre, et encore une autre – pareilles à une rangée de dominos tombant les uns après les autres, jusqu'à me révéler une scène entière de mon passé. Un souvenir.

Tout à coup, je sus très exactement où et quand Laurel m'avait déjà demandé : « C'est quoi, ton problème ? » Et ce ne fut pas la seule chose que je vis...

9

L'IMITATION EST LA FORME
LA PLUS SINCÈRE DE LA FLATTERIE

— *Je déclare la soirée officiellement commencée !*

J'ai lancé ces mots d'une voix forte en sortant de derrière le gros rocher à l'abri duquel je viens d'enfiler un bikini argenté. Mes jambes sont fraîchement épilées à la cire ; j'ai un teint de rose, sans la moindre imperfection, et mes cheveux scintillent doucement dans la lumière du spa. Tous les regards sont braqués sur moi.

Garrett siffle.

— *Tu es plus chaude que l'eau des bassins.*

Je me fends d'un grand sourire.

— *Et tu es bien placé pour le savoir.*

Il me fait signe d'approcher. Il est plongé dans l'eau bouillonnante des bassins chauds de l'Institut Clayton, un spa secret situé à l'ombre des montagnes. Techniquement, nous n'avons pas le droit d'être ici — c'est réservé aux clients les plus riches – mais ce n'est pas le genre de détail qui nous arrête, mes amis et moi. Nous trouvons toujours un moyen d'obtenir ce que nous voulons.

– Viens là, ma chéwie, appelle Madeline en minaudant.

Elle aussi fait déjà trempette. Ses cheveux sont ramassés sur le dessus de sa tête en un chignon lâche ; les millions d'heures hebdomadaires passées à prendre des cours de danse classique ou à faire du Pilates ont affiné ses bras, et la vapeur qui monte de l'eau fait briller son visage d'une façon sexy.

Quelques efforts que je déploie, Mads est toujours un peu plus jolie que moi, ce qui ne cesse de m'énerver. Et elle est assise tout près de Garrett – un peu trop près à mon goût. Je n'ai pas peur qu'il se passe quoi que ce soit entre eux (ils savent l'un comme l'autre que je les tuerais si c'était le cas), mais je préférerais avoir Garrett pour moi seule.

Nous ne sommes ensemble que depuis deux mois. Tout le monde pense que je sors avec lui parce qu'il est l'un des joueurs vedettes de l'équipe de foot du lycée, ou parce qu'il a l'air craquant perché sur la chaise des sauveteurs à la piscine de l'Institut W, ou parce que sa famille possède à Cabo San Lucas une maison de plage où elle passe toutes les vacances de printemps. Mais la vérité, c'est que j'aime Garrett parce qu'il est un peu... abîmé. Il ne ressemble pas aux types arrogants qui nous entourent, tous ces garçons de notre âge qui vivent une existence aussi enchantée qu'ennuyeuse dans leurs belles demeures de banlieue chic – une existence étanche à tout ce qui ne les concerne pas.

Je m'insinue entre lui et Madeline en décochant un sourire glacial à cette dernière. Je susurre :

– J'espère que tu ne tripotais pas mon petit ami sous l'eau. Je sais que tu as parfois du mal à faire la différence entre deux mecs.

Madeline rougit. Il n'y a pas très longtemps, peu après la disparition de son frère Thayer, elle s'est fait peloter par un type brun de l'école préparatoire de Ventana pendant une soirée dans le désert. Au bout d'un moment, elle l'a laissé pour aller se chercher à boire, mais quand elle l'a rejoint pour recommencer à l'embrasser... elle s'est trompée de garçon. Le nouveau était blond, et Madeline ne s'en est pas aperçue avant deux bonnes minutes. Contrairement à moi. Parfois, je me demande si elle ne marche pas dans les traces de Lindsay Lohan, si elle n'a pas décidé d'être ce genre de jolie fille qui a tout pour elle et qui ne peut pas s'empêcher de foutre sa vie en l'air.

Je lui tapote l'épaule. La vapeur a chauffé sa peau.

– Ne t'en fais pas. Je sais garder un secret.

Je fais le geste de verrouiller ma bouche et de jeter la clé. Puis je m'assois à mon tour dans l'eau chaude. D'autres filles entrent dans les bassins lentement, en poussant de petits cris et en s'enfonçant centimètre par centimètre. Moi, j'aime y aller d'un coup. La sensation de brûlure me pique les yeux, et je trouve ça excitant.

Charlotte est la suivante à sortir de derrière le rocher. Elle porte toujours un pagne en tissu-éponge rose et tente de dissimuler ses jambes pâles pareilles à des poteaux. Nous lui lançons tous un joyeux « Coucou ! ». Laurel apparaît ensuite, gloussant comme une folle. Je soupire, et mes orteils se recroquevillent sous l'eau. Qu'est-ce qu'elle fiche ici ? Je ne l'ai pas invitée.

Le portable de Garrett sonne. « MAMAN » s'affiche sur l'écran.

— *Il vaut mieux que je réponde, marmonne-t-il.*

Il se redresse ; de l'eau dégouline le long de son corps et éclabousse les rochers derrière lui.

— *Allô ? dit-il gentiment.*

Il s'éloigne et disparaît entre les arbres. Madeline lève les yeux au ciel.

— *C'est vraiment un fils à maman, commente-t-elle, mais sans méchanceté.*

— *Il a une bonne raison, réplique Charlotte sur son ton de Miss Je-Sais-Tout. (Elle se perche sur un des rochers qui entourent le bassin.) Quand on était ensemble...*

Je la coupe.

— *Pourquoi tu ne te baignes pas avec nous cette fois, Char ?*

Je n'ai pas envie qu'elle se lance encore dans un de ses monologues qui sous-entendent qu'elle en sait plus long que moi sur Garrett parce qu'elle est sortie avec lui avant. Mais elle replie ses jambes pour les écarter de l'eau.

— *Je suis bien ici, dit-elle sèchement.*

Je glousse.

— *Allez, ne fais pas ta chochotte. On est entre amis ; on s'en fout si l'eau chaude te fait un teint de homard bouilli. Je suis sûre que certains garçons trouvent ça sexy.*

Charlotte grimace et se recule encore davantage.

— *Je n'ai pas envie, Sutton.*

— *Comme tu voudras. (J'attrape l'iPhone de Madeline, qu'elle a posé sur un rocher voisin.) Photo de groupe ! Tout le monde autour de moi !*

On se serre les unes contre les autres, et j'appuie sur le bouton. Je scrute le résultat et commente :

— Pas mal, mais pas génial. Mads, tu nous fais encore ta tête de reine de beauté.

J'encadre mon visage avec mes mains et prends l'expression de la fille qui ne souhaite rien d'autre que la paix dans le monde.

Laurel regarde par-dessus mon épaule.

— Je ne suis pas dessus, constate-t-elle en désignant son bras — la seule partie d'elle qui apparaît dans le cadre.

— Je sais. Je l'ai fait exprès.

Laurel se décompose. Madeline et Charlotte s'agitent, mal à l'aise. Au bout d'un moment, Charlotte touche l'épaule de Laurel avec l'index.

— J'aime beaucoup ton collier, dit-elle gentiment.

Le visage de Laurel s'éclaire.

— Merci ! Je l'ai acheté aujourd'hui.

— Très joli, renchérit Madeline.

Je me penche pour regarder de quoi elles parlent. Un gros cercle argenté pend au cou de Laurel. De ma voix la plus sucrée, je demande :

— Je peux voir ?

Laurel me jette un coup d'œil nerveux et se penche docilement vers moi.

— Je le trouve très… (Je caresse le pendentif du bout d'un doigt.) Très familier.

Plissant les yeux, je soulève mes cheveux pour lui montrer le mien. Je l'ai depuis toujours, mais je n'ai commencé à le porter que très récemment. J'ai annoncé aux filles que désormais, ce serait mon bijou-signature, un peu comme les longues robes de style bohémien sont les *fringues-signature de Nicole Richie, ou comme le blazer par-dessus un mini-short en jean est le look-signature de Kate Moss. Laurel était là quand je l'ai dit, et quand j'ai ajouté que je ne l'enlèverais plus jamais à partir de maintenant — qu'il faudrait me couper la tête pour me le prendre.*

Laurel tripote la bretelle de son bikini, celui que j'appelle « son maillot de pute ». Les triangles du soutien-gorge et de la culotte sont tellement petits qu'elle pourrait aussi bien être à poil.

— Ce n'est pas tout à fait le même, se défend-elle. Ton médaillon est plus gros. Et le mien ne s'ouvre pas, regarde.

Charlotte examine les deux colliers tour à tour.

— Elle a raison, Sutton.

— Oui, ils sont assez différents, approuve Madeline.

J'ai envie de leur jeter de l'eau bouillante à la figure. Comment mes amies osent-elles s'extasier devant le manque d'originalité flagrant de ma sœur ? C'est déjà assez chiant qu'elle nous ait suivies ici. C'est déjà assez chiant que Charlotte et Madeline la laissent nous accompagner partout parce qu'elles ont pitié d'elle depuis la disparition de Thayer. Et c'est déjà assez chiant que mes parents — surtout mon père — se plient en quatre pour elle, alors qu'ils me traitent toujours comme si j'étais une bombe sur le point d'exploser.

Je n'ai pas le temps de réfléchir que déjà, je saisis le pendentif de Laurel et tire violemment sur la chaîne pour le lui arracher du cou. Puis je le jette dans les bois. J'entends le léger cliquetis du métal heurtant la pierre, et un bruissement très léger comme le collier atterrit dans les fourrés denses.

Laurel cligne des yeux.

— P-pourquoi tu as fait ça ?

— Ça t'apprendra à me copier.

Ses yeux se remplissent de larmes.

— C'est quoi, ton problème ?

Avec un cri de détresse, elle sort du bassin, saute par-dessus les rochers et s'enfonce en courant dans les bois.

L'espace de quelques longues secondes, personne ne bouge. De la vapeur tourbillonne autour du visage de mes amies, mais soudain, ça me paraît sinistre plutôt que sexy. Je pousse un grognement et me relève, en proie à un pincement de culpabilité. Je crie en direction des bois.

— Laurel !

Pas de réponse. Je glisse les pieds dans mes claquettes de piscine, enfile un T-shirt et un short en tissu-éponge et pars à sa recherche.

Au bout d'une dizaine de mètres, les lampes solaires qui bordent le chemin autour des bassins disparaissent, cédant la place à une étrange obscurité. Je fais quelques pas hésitants vers un buisson de mesquite, les bras tendus devant moi.

— Laurel ?

J'entends un bruissement près de moi, puis un craquement.

— Laurel ?

Je fais encore quelques pas, me frayant un chemin parmi les hautes herbes du désert. De minuscules aiguilles de cactus me piquent la peau.

Des bruits de pas. Un sanglot.

— Allez, Laurel, sors de là, dis-je, les dents serrées. Je suis désolée, d'accord ? Je t'achèterai un autre collier.

Je me retiens d'ajouter : « Un qui ne sera pas la réplique du mien. »

Je dépasse encore deux ou trois arbres avant d'émerger dans une clairière déserte — une crique asséchée depuis belle lurette. L'air chaud et lourd oppresse sur mon visage. Des ombres torturées s'étendent sur le sol craquelé. Des cigales chantent bruyamment dans les fourrés.

— Laurel ?

Je ne vois plus les lumières du centre à travers les arbres. Je ne sais même plus dans quelle direction se trouvent les bassins. Puis j'entends un nouveau bruit de pas. Brusquement inquiète, j'appelle :

— Il y a quelqu'un ?

Deux yeux clignent dans l'herbe de la savane. Un chuchotement s'élève devant moi, suivi par un gloussement étouffé. Puis je sens une main se poser sur mon épaule. Quelque chose de froid et de tranchant se presse contre mon cou.

Tout mon corps se raidit. L'objet appuie sur ma gorge, me coupe le souffle et entame ma peau. Un éclair de douleur me traverse. C'est un couteau.

— Si tu cries, tu es morte, chuchote une voix rauque dans mon oreille.

Puis… le noir complet.

10

TOUT LE MONDE ADORE
LES MAUVAIS PLAISANTS

Je revins brusquement au présent. Emma était assise très raide dans le siège passager de la voiture de Laurel, qui venait de faire marche arrière pour gagner la rue.

Sutton est morte, pensait Emma. *Sutton est MORTE.* Elle n'arrivait pas à l'accepter. *Morte, mais où ? Est-ce que ça a un rapport avec cette vidéo de strangulation ? Est-ce que son agresseur l'a tuée pour de bon ?*

Une boule dure se forma dans son ventre, et ses yeux se remplirent de larmes. Même si elle n'avait jamais rencontré sa sœur, même si elle n'avait découvert son existence que deux jours plus tôt, c'était une perte affreuse.

En apprenant qu'elle avait une jumelle, Emma avait eu l'impression de décrocher le jackpot, un trésor dont elle n'avait même jamais rêvé. Tout l'espoir qu'elle réprimait depuis son enfance avait atteint son apogée en quarante-huit heures. Et maintenant...

Vous pouvez sans doute imaginer ce que je ressentais de mon côté. Quand Emma avait déplié le papier, je l'avais fixé longuement. Voir *Sutton est morte* écrit noir sur blanc avait entériné mon destin. Je ne pouvais plus nier. J'étais bel et bien morte. Décédée. Défunte. Et j'avais été assassinée.

Mes souvenirs fragmentés ne m'avaient pas induite en erreur. L'obscurité. L'agression. Le couteau sur ma gorge. À présent, le coupable voulait que la sœur que je n'avais jamais rencontrée prenne ma place afin que personne ne découvre son crime. Comme si c'était aussi simple ! Si seulement j'avais mon mot à dire... Je refusais de céder ma vie à quelqu'un d'autre.

Et Emma n'avait pas non plus envie de s'y installer. Elle renifla bruyamment, et Laurel tourna la tête vers elle.

– Quoi ?

Les coins de sa bouche étaient abaissés.

Emma pressa le message entre ses doigts. *Sutton est morte.* Laurel méritait de le lire, pas vrai ? Elle méritait de savoir que sa sœur était morte. Pourtant, Emma ne pouvait se résoudre à le lui montrer. Et si Laurel ne la croyait pas ? Si elle pensait que c'était juste une nouvelle tentative pour sécher les cours ? Et si la menace proférée par l'auteur se réalisait : *Continue à jouer le jeu, ou tu seras la suivante ?* Si Emma racontait la vérité à quelqu'un, quelque chose de terrible se produirait peut-être.

– Rien, répondit-elle enfin.

Laurel haussa les épaules.

Arrivée au bout de la rue, elle tourna à droite, longeant un grand parc avec une promenade à chiens, un terrain de jeu pour les enfants et trois courts de tennis. Au croisement suivant, Emma découvrit un supermarché bio, une onglerie haut de gamme et tout un tas de boutiques branchées d'un côté de l'avenue, et un magasin UPS, un poste de police en stuc et l'entrée en pierre de taille du lycée de Hollier de l'autre.

Des voitures encombraient la file de gauche, attendant de pouvoir tourner pour entrer dans l'établissement. Des blondes au nez chaussé de Ray-Ban se prélassaient au volant de leur cabriolet. Des basses pulsaient à l'intérieur d'une grosse Escalade dont le pare-chocs s'ornait d'un autocollant de l'équipe de football de Hollier. Une brune juchée sur une Vespa vert d'eau se faufila entre les véhicules à l'arrêt, parfois avec moins de dix centimètres de marge.

Au passage, Emma détailla le poste de police. Une demi-douzaine de patrouilleuses stationnaient dans le parking. Un flic en uniforme écrasa une cigarette dans l'allée de devant.

Laurel appuya sur l'accélérateur pour gravir une petite pente et passa sous un panneau rouge qui indiquait « PARKING DES PREMIÈRES ». Elle jeta un regard en coin à Emma.

- Tu ne pourras pas mentir éternellement à Maman au sujet de ta voiture. Et je n'ai aucune envie de te servir de chauffeur jusqu'à la fin de l'année.

Alors, une idée traversa l'esprit d'Emma. Elle se tourna vers la sœur de Sutton.

– Pourquoi tu n'as pas pris ta voiture pour aller chez Nisha hier soir ?

Laurel gonfla les joues et souffla.

– Ben, parce que Papa l'avait emmenée au garage pour faire changer la suspension.

Elles dépassèrent une rangée de véhicules garés. Il régnait une ambiance d'avant-match. Des ados assis sur leur pare-chocs sirotaient des smoothies Jamba Juice. Quelques garçons jouaient au foot dans le carré poussiéreux sur la droite. Trois jolies filles en tongs Havaianas aux couleurs de sorbet regardaient un diaporama de photos de vacances sur un ordinateur portable posé dans le coffre d'une Mini.

Sutton est morte, songea de nouveau Emma. Cette pensée l'assaillait sans relâche, comme le ressac de l'océan. Elle devait faire quelque chose. Quoi qu'en dise le message, elle ne pouvait pas garder ça pour elle plus longtemps. Son cœur se mit à battre plus fort.

Laurel se gara près d'une grosse poubelle qui débordait déjà de bouteilles d'eau en plastique et de gobelets Starbucks vides. Dès qu'elle coupa le moteur, Emma actionna la poignée de la portière, bondit hors de la voiture et coupa à travers le terrain en direction du poste de police.

– Hé ! s'égosilla Laurel dans son dos. Sutton, qu'est-ce qui te prend ?

Emma ne répondit pas. Elle se fraya un chemin parmi la végétation broussailleuse et drue qui séparait le parking du lycée et le poste de police. Des épines lui égratignèrent les bras, mais elle n'y prêta aucune attention. Elle émergea sur une étroite bande de gazon et fit irruption dans le poste de police.

À l'intérieur, il faisait sombre et froid. La grande pièce découpée en boxes sentait le poulet Kung Pao et la transpiration. Des téléphones sonnaient ; des talkies-walkies bourdonnaient, et le présentateur d'une radio sportive débitait des résultats de matchs en fond sonore. Les lamelles des stores vénitiens étaient toutes poussiéreuses, et une cannette de Fanta écrasée, pleine de mégots de cigarette, gisait par terre près de la porte.

Sur le mur du fond, un panneau était couvert d'affiches du genre : « SI VOUS VOYEZ QUELQUE CHOSE, DITES QUELQUE CHOSE » et de listes de personnes recherchées. La photo en noir et blanc d'un jeune homme brun au regard mélancolique retint l'attention d'Emma. « DISPARU DEPUIS LE 17 JUIN. THAYER VEGA. » C'était celle qu'elle avait vue sur le profil Facebook de Sutton.

Un vieil homme aux cheveux en bataille, vêtu d'un trench-coat, occupait la plus grande partie de l'unique banc destiné aux visiteurs. Il portait des menottes aux poignets. En voyant Emma, il se fendit de l'immense sourire du pervers qui aime montrer ses parties intimes aux petites filles.

– Je peux vous aider ?

Emma pivota. Un jeune flic aux cheveux blonds coupés en brosse la regardait, assis derrière un grand bureau. Le petit ventilateur posé devant lui souffla un peu d'air moite au visage d'Emma. Comme économiseur d'écran, il avait choisi une photo de deux gamins aux yeux globuleux, le garçon en tenue de base-ball et la fille en tenue de gymnastique.

Emma jeta un coup d'œil aux menottes accrochées à sa ceinture et au flingue dans son holster. Puis elle s'humecta les lèvres et fit un pas vers lui.

– Je voudrais rapporter une… une disparition. Peut-être un meurtre.

Le flic haussa ses sourcils si pâles qu'ils en devenaient presque invisibles.

– La disparition de qui ?

– De ma sœur jumelle. (Alors, tout ce qui s'était passé ces deux derniers jours se déversa de la bouche d'Emma tel le sang d'une plaie ouverte.) Hier soir, j'ai pensé qu'on s'était mal comprises et que Sutton allait bien, acheva-t-elle. Mais ce matin, j'ai trouvé ça.

Elle sortit le message et le déplia sur le bureau du flic. *Sutton est morte. Ne le dis à personne. Et continue à jouer le jeu, ou tu seras la suivante.* Dans la lumière crue des néons, la menace paraissait encore plus réelle et plus effrayante.

Les lèvres du flic remuèrent en silence comme il déchiffrait le message.

– Sutton, chuchota-t-il sur un ton entendu. (Ce fut comme si une ampoule venait de s'allumer au-dessus de sa tête. Il saisit le combiné de son téléphone et appuya sur un bouton.) Quinlan, tu as une minute ? (Puis il raccrocha et tapota la chaise orange près de son bureau.) Restez là, ordonna-t-il à Emma.

Saisissant le message, il se dirigea vers le fond de la grande salle et pénétra dans un petit bureau sur la porte duquel était marqué « INSPECTEUR QUINLAN ». Emma observa sa silhouette de profil qui se découpait contre la fenêtre du fond. Il parlait en agitant les mains.

Puis il ressortit, suivi par un autre homme. L'inspecteur Quinlan était brun, plus grand et plus âgé que lui. Il tenait un dossier sous un bras et une chope de l'Université d'Arizona dans son autre main. Quand il aperçut Emma à la réception, il grimaça.

– Combien de fois tu vas nous refaire le coup ? demanda-t-il en lui brandissant le message sous le nez.

Emma regarda autour d'elle. Il devait parler à quelqu'un d'autre. Mais hormis l'exhibitionniste vautré sur le banc, elle était la seule personne dans la pièce.

– Je vous demande pardon ?

Quinlan appuya ses avant-bras sur le dossier de la chaise.

– Mais j'avoue qu'un meurtre imaginaire, c'est nouveau, même pour toi, Sutton.

Le nom de sa sœur frappa Emma comme un coup de poing dans le ventre.

– Non, je ne suis pas Sutton, protesta-t-elle. Je suis sa jumelle, Emma. Il ne vous l'a pas dit ? (Du pouce, elle désigna le flic blond.) Il est arrivé quelque chose à Sutton, et la personne qui a fait ça me menace aussi. C'est la vérité !

– Comme c'était la vérité quand tu nous as parlé de ce cadavre près du mont Lemmon l'année dernière ? (Quinlan eut un rictus qui crispa les muscles autour de sa bouche.) Ou quand tu nous as raconté que ta voisine élevait quatre-vingt-dix

117

chihuahuas dans son pavillon d'invités ? Ou quand tu as juré tes grands dieux que tu avais entendu un bébé pleurer dans une benne à ordures derrière le Trader Joe's ? (Il tapota le dossier.) Tu crois que je n'ai pas noté toutes les sales blagues que tu nous as faites ?

Emma observa le dossier. Le nom de SUTTON MERCER se détachait sur l'étiquette à l'encre noire, en majuscules épaisses. Cela lui fit penser à David, le frère d'accueil qu'elle avait eu à Carson City. Toutes les deux ou trois semaines, David appelait les flics et leur disait que les toilettes provisoires installées près d'un chantier avaient pris feu, essentiellement pour le plaisir de regarder aller et venir les camions de pompiers.

Les standardistes du 911 avaient fini par le démasquer. Le jour où il les avait contactés pour hurler qu'un feu de broussailles faisait rage dans leur jardin, ils ne l'avaient pas cru. Le temps que les pompiers arrivent, les flammes avaient dévoré la moitié de la maison. David était officiellement devenu le Garçon Qui Criait Aux Toilettes En Feu. Les flics prenaient-ils Sutton pour la Fille Qui Criait Au Bébé Dans La Poubelle ?

Emma fouilla dans le sac de sa sœur jusqu'à ce qu'elle trouve son iPhone rose. D'une main tremblante, elle se connecta au site de vidéos que Travis lui avait montré.

— Regardez, on voit quelqu'un en train de l'étrangler. Vous arriverez peut-être à comprendre de quoi il s'agit.

La page d'accueil se chargea enfin. Emma tapa *SuttonInAZ* dans la barre de recherche. Au bout d'un moment, le verdict tomba :

Aucun résultat.

– Quoi ? couina Emma. (Elle leva un regard implorant vers les deux flics.) C'est une erreur. La vidéo était là il y a deux jours, je vous le jure !

Quinlan grogna. Avant que la jeune fille puisse réagir, il tendit la main et s'empara du sac beige qu'elle portait à l'épaule. Il en tira le portefeuille bleu de Sutton, défit la languette et révéla le permis de conduire derrière la fenêtre en plastique transparent de devant. « ARIZONA », était-il écrit en haut. Sutton souriait à l'appareil. Son maquillage était impeccable, et pas un cheveu ne dépassait de sa coiffure.

Emma pensa brièvement à la photo de son propre permis, prise dans un DMV mal éclairé et sans climatisation le lendemain du jour où elle s'était fait retirer les dents de sagesse en urgence. Ses cheveux étaient collés à son front, son mascara avait commencé à couler, et ses joues gonflées lui donnaient l'air d'un castor. Elle ressemblait à Shrek – en plus gras.

Quinlan agita le portefeuille sous le nez d'Emma.

– D'après ceci, tu es bien Sutton Mercer, et pas une dénommée Emma.

– Ce n'est pas le mien, se défendit Emma d'une voix faible.

Elle se sentait comme cet oiseau qui s'était fait enfermer dans le garage de Clarice quelques semaines auparavant – paniquée et impuissante. Comment pouvait-elle convaincre quiconque qu'elle n'était pas Sutton, alors qu'elle lui ressemblait trait pour trait ?

Soudain, Emma réalisa que l'assassin l'avait observée pendant qu'elle attendait sa sœur. Peut-être était-ce lui qui l'avait fait venir à Sabino Canyon ? Depuis combien de temps Sutton était-elle morte ? Après tout, tant que personne ne signalait sa disparition, il n'y avait pas de crime.

Emma désigna le message.

– Vous ne pourriez pas au moins chercher des empreintes ?

Quinlan recula, croisa les bras sur la poitrine et lui jeta un coup d'œil qui signifiait clairement : « Tu te fous de moi ? »

– Je croyais qu'une fille dont la bagnole a été emmenée à la fourrière ferait profil bas. On peut augmenter le montant de ton amende, si tu y tiens tant.

– Mais...

Emma n'acheva pas sa phrase. Elle ne savait pas quoi répondre.

Le téléphone du flic blond sonna, et il se hâta de décrocher. Un autre flic, qui portait un chapeau de cow-boy marron, fit irruption dans le poste de police et marcha droit vers l'une des salles d'interrogatoire.

– Tiens. (Avec une grimace dégoûtée, l'inspecteur Quinlan laissa tomber le portefeuille et le message sur les genoux d'Emma. Puis il se pencha vers la jeune fille.) Maintenant, je te ramène au lycée. Si je te reprends à traîner ici, tu passeras la nuit en cellule. Tu verras comme c'est agréable. Pigé ?

Emma acquiesça sans un mot.

Quinlan l'entraîna vers la sortie et dans le parking du poste de police. Emma fut horrifiée de le voir

120

ouvrir la portière arrière d'une des patrouilleuses et lui faire signe de monter.

– En voiture.

Elle le dévisagea, bouche bée.

– Sérieusement ?

– Ouais.

Elle serra les poings. *Incroyable.* Au bout d'un moment, elle capitula et s'installa sur la banquette arrière, comme une criminelle. La patrouilleuse sentait le vomi et le sapin désodorisant. Quelqu'un avait écrit « CONNARD » sur le vinyle du siège.

Quinlan s'installa derrière le volant et mit le contact.

– Je fais un saut à Hollier, dit-il dans le micro de la radio fixée à la console centrale. Je reviens tout de suite.

Emma s'affaissa sur la banquette. Du moins n'avait-il pas branché la sirène.

Tandis qu'il sortait du parking et tournait à gauche, la nouvelle réalité d'Emma commença lentement à prendre forme. Ça avait été facile – voire amusant – de se faire passer pour Sutton pendant la soirée de Nisha. Mais elle voulait rencontrer sa sœur, pas s'approprier sa vie. Et même si elle avait toujours voulu enquêter sur un crime, jamais elle n'avait imaginé se retrouver embringuée dans une histoire pareille. Mais dans la mesure où personne ne voulait la croire – ni la famille Mercer, ni la police –, elle n'avait guère le choix. C'était à elle, et à elle seule, de résoudre l'énigme posée par le meurtre de Sutton.

Sauf que... Emma n'était pas réellement seule. Une fois de plus, je me demandai pourquoi j'étais là avec elle, témoin silencieux de chacun de ses gestes ; pourquoi je l'observais tandis qu'elle s'installait dans ma vie, traînait avec mes amies et embrassait mon copain.

La vieille Mme Hunt, notre voisine flippante qui gardait beaucoup trop de chats, m'a dit un jour que les fantômes s'attardent en ce monde quand une affaire non résolue les empêche de passer dans l'au-delà. C'est peut-être pour ça que j'étais là : pour élucider mon propre meurtre.

11

GARE À L'ENFANT DU DÉMON

Dix minutes plus tard, Emma se tenait dans les toilettes des filles au rez-de-chaussée du lycée de Hollier. La pièce carrelée de rose empestait la Javel et la clope. Dieu merci, les boxes étaient tous vides, et personne ne s'affairait devant les lavabos. Emma était seule.

Enfin, j'étais là avec elle, mais j'avais fini par accepter le fait que je ne comptais pas.

Elle détailla son visage maculé de larmes dans le miroir crasseux. Ses yeux étaient cernés ; des plis d'inquiétude barraient son front ; son menton et ses joues avaient rougi comme chaque fois qu'elle pleurait. Elle tenta de sourire, mais sa bouche s'y refusa.

— Ressaisis-toi, ordonna-t-elle à son reflet. Tu peux le faire. Tu peux prendre la place de Sutton.

Elle devrait jouer le rôle de sa sœur jusqu'à ce qu'elle trouve un moyen de convaincre quelqu'un de la vérité. Et elle avait déjà réussi la veille − même si c'était avant qu'elle découvre de quoi il retournait.

De nouveau, le chagrin la submergea, et des larmes ruisselèrent sur ses joues. Elle saisit une serviette en papier dans le distributeur. Combien de fois Sutton avait-elle utilisé ces toilettes ? Combien de fois s'était-elle regardée dans ce miroir ? Que penserait-elle si elle savait qu'Emma avait pris sa place ?

Franchement, j'étais perplexe. Comment Emma réussirait-elle à démasquer mon assassin en se faisant passer pour moi ? Ça paraissait impossible. Pourtant... le coupable mis à part, elle seule savait que j'étais morte. Elle seule pouvait m'aider.

La cloche sonna. Emma appliqua sous ses yeux un peu de l'anticernes qu'elle avait trouvé au fond du sac de Sutton, passa une main dans ses cheveux bruns et ressortit d'un pas plein d'assurance malgré les nœuds qui lui tordaient le ventre.

Le couloir était bondé de lycéens qui fouillaient dans leurs casiers, de filles qui se racontaient leurs vacances d'été d'une voix aiguë, de garçons en maillot de foot ou de basket qui se poussaient mutuellement dans les fontaines à eau.

− Salut, Sutton ! lança une fille en passant près d'elle.

Emma se força à sourire.

− Vivement ta soirée vendredi prochain, lui cria un garçon depuis l'autre bout du couloir.

À l'intérieur d'une salle de classe à la porte ouverte, deux brunes chuchotaient en la regardant et en la montrant du doigt. Emma repensa au message. *N'importe qui aurait pu l'écrire... pourquoi pas quelqu'un du lycée ?*

Elle sortit l'emploi du temps que lui avait donné Mme Mercer. Par chance, elle était tout près du premier cours de Sutton – une matière simplement abrégée en A-103, qui s'enseignait dans la salle 114.

Lorsqu'elle franchit le seuil de cette dernière, Emma vit un grand drapeau noir, rouge et jaune pendu près du tableau. Sur le bureau du prof, une pancarte exigeait : « RESPECTEZ LE PUISSANT UMLAUT ! ». Sur le mur du fond, une affiche montrait un jeune garçon au visage porcin, vêtu d'une culotte courte à bretelles. Les mots « EIN, ZWEI, DREI ! » étaient écrits dans une bulle de bande dessinée près de sa bouche.

Emma se rembrunit. « A » pour « Allemand », donc. Or, « Ein, zwei, drei » étaient justement les trois seuls mots qu'elle connaissait dans cette langue. *Génial.* Elle fit un gros effort pour ne pas se remettre à pleurer.

Plusieurs de ses camarades lui sourirent tandis qu'elle remontait l'allée centrale et allait s'asseoir dans le fond. Ce fut alors qu'elle remarqua un type brun au visage familier. Assis près de la fenêtre, il regardait la piste de course qui s'étendait dehors. C'était Ethan, l'astronome amateur qu'Emma avait rencontré la veille – celui que Charlotte avait appelé « M. Le Rebelle Sans Cause ».

Comme s'il avait senti qu'on l'observait, Ethan regarda par-dessus son épaule. Quand il vit Emma, son visage parut s'éclairer. La jeune fille le gratifia d'un minuscule sourire, qu'il lui rendit avec enthousiasme. Puis une autre lycéenne s'approcha de lui et ronronna :

– Salut, Ethan.

Il ne daigna lui adresser qu'un bref signe de tête.

– Psst ! chuchota quelqu'un depuis l'autre côté de la pièce.

Emma pivota sur sa chaise et aperçut les cheveux blonds hérissés de Garrett, quelques rangées plus loin. Le jeune homme agita la main et lui fit un clin d'œil. Emma agita la main en retour, mais elle culpabilisait terriblement. Que penserait le petit ami de Sutton s'il savait qu'elle était morte ? Et Emma ne pouvait même pas le lui dire…

La cloche sonna de nouveau, et tous les élèves encore debout se dépêchèrent de s'asseoir. Une Asiatique aux cheveux très courts, vêtue d'une longue robe bleue beaucoup trop couvrante pour la chaleur d'Arizona, entra d'un pas raide. *Frau Fenstermacher*, écrivit-elle sur le tableau en lettres pointues, avant de tirer un trait sous son nom. Emma se demanda si elle en avait changé pour plus d'authenticité.

Frau Fenstermacher fit descendre sur son nez ses lunettes à la monture de plastique transparent pour déchiffrer la liste d'appel.

– Paul Anders ? aboya-t-elle.

– Présent, marmonna un garçon qui portait un T-shirt du groupe Grizzly Bear.

– En allemand !

Frau Fenstermacher mesurait à peine un mètre cinquante, mais elle avait une aura si menaçante qu'on n'avait pas de mal à croire qu'elle puisse foutre une rouste à quelqu'un.

– Oh. (Paul rougit.) *Ja.*

– Garrett Austin ?

– *Ja, ja,* répondit le jeune homme sur le même ton que le chef suédois du *Muppet Show.*

Tout le monde gloussa.

Frau Fenstermacher poursuivit l'appel. Du bout des doigts, Emma caressa nerveusement le symbole de l'anarchie que quelqu'un avait gravé sur son bureau. *Dis « Ja » quand elle appellera Sutton Mercer,* se répétait-elle en boucle pour ne pas oublier.

Neuf « *Ja* » plus tard, Frau Fenstermacher blêmit en appelant d'une voix plus orageuse que jamais :

– Sutton Mercer ?

Emma ouvrit la bouche, mais ce fut comme si on lui avait enfoncé une *wiener schnitzel* dans la gorge. Impossible d'émettre le moindre son. Les autres élèves se tournèrent vers elle. Quelques-uns se mirent à glousser.

Frau Fenstermacher haussa les sourcils.

– Je vous vois, *Fraulein* Mercer. Et je sais qui vous êtes. Vous êtes une *Teufel Kind*, une Enfant du Démon. Mais vous feriez mieux de vous tenir à carreau dans ma classe, cracha-t-elle.

Les regards passèrent d'Emma au professeur avant de revenir vers la jeune fille, comme pour suivre une partie de ping-pong. Emma humecta ses lèvres sèches.

– *Ja,* répondit-elle d'une voix enrouée.

Tout le monde s'esclaffa de plus belle.

– J'ai entendu dire qu'elle avait failli se faire arrêter deux fois cet été, chuchota une fille qui portait un jean skinny et un long gilet sans manches, à une autre fille aux cheveux ondulés assise de l'autre côté de l'allée. Et aussi que sa voiture avait été emmenée à la fourrière. Elle avait récolté tellement de contraventions que les flics ont fini par la lui confisquer.

– Ce matin, elle est arrivée au bahut en voiture de police, répondit la fille aux cheveux ondulés à voix basse.

Sa copine haussa les épaules.

– Je ne suis pas surprise.

Emma se recroquevilla sur sa chaise en pensant au dossier consacré à Sutton que lui avait montré l'inspecteur Quinlan. Quel genre de folle était donc sa jumelle défunte ?

Plongeant la main dans son sac beige, elle referma les doigts sur le message. Elle voulait désespérément le montrer à quelqu'un, et que ce quelqu'un la croie. Au lieu de ça, elle le lâcha, sortit l'iPad de Sutton et le posa sur son bureau. Il ne lui restait plus qu'à trouver comment l'allumer.

Ce jour-là, Emma enchaîna six autres cours avec des professeurs hostiles, se perdit huit fois dans les couloirs du lycée et déjeuna avec Charlotte et Madeline, qui la félicitèrent d'être arrivée le matin en patrouilleuse – apparemment, c'était génial de leur point de vue.

Après la fin des cours, Emma se décida à ouvrir le casier de Sutton. Elle avait déjà craqué et cherché de l'argent dans le portefeuille de sa sœur en réalisant, juste avant le déjeuner, qu'elle ne tiendrait pas toute la journée sans rien avaler. Outre quelques billets, le fameux permis de conduire sur la photo duquel Sutton ressemblait à un mannequin, une carte American Express Blue et l'horoscope du mois d'août pour les Vierge, elle avait trouvé un petit bout de papier sur lequel étaient écrits le numéro de casier de Sutton et la combinaison du cadenas. C'était comme si sa sœur l'avait mis là exprès pour elle.

Si seulement je l'avais mis là exprès pour elle ! Si seulement je lui avais laissé des tas d'indices pour résoudre mon meurtre ! Si seulement j'avais pu tatouer une cible rouge sur le front de mon assassin ! Mais j'admirais la façon dont Emma avait soigneusement examiné tout le contenu de mon portefeuille.

Elle avait également dressé une liste des autres élèves dans les différents cours que je suivais. *Sienna, deux bureaux derrière, histoire : m'a souri, semblait amicale, a fait allusion à « l'incident du bébé-œuf ».* Ou encore : *Geoff, en diagonale, trigo : n'a pas arrêté de me jeter des coups d'œil bizarres, et a dit que j'avais l'air « différente » aujourd'hui.* Si nos rôles avaient été inversés, aurais-je su jouer les détectives amateurs de la sorte ? Me serais-je donné la peine de le faire pour venger une sœur que je n'avais même pas connue ?

J'avais remarqué autre chose : Emma marchait dans les couloirs les lèvres pincées, comme si elle retenait son souffle. Souvent, elle se faufilait dans les toilettes et se regardait dans le miroir comme pour se donner le courage de continuer. Nous avions toutes les deux des secrets. Nous étions toutes les deux affreusement seules.

Emma ouvrit le casier. Celui-ci était vide, à l'exception d'un carnet de notes qui moisissait dans le fond et de deux photos de Sutton, Madeline et Charlotte scotchées à l'intérieur de la porte.

Alors qu'elle s'apprêtait à fourrer tant bien que mal dans le sac beige tous les manuels scolaires qu'elle avait reçus ce jour-là – *Il faut vraiment être stupide pour ne pas aller au lycée avec un sac à dos !* –, une main se posa sur son bras.

– Tu comptes sécher l'entraînement ?

Emma pivota. Charlotte se tenait devant une affiche qui expliquait pourquoi « LA DROGUE, C'EST PAS COOL ». Elle avait rassemblé ses cheveux roux en queue de cheval et s'était changée pour enfiler un T-shirt blanc, un short noir Champion et des baskets Nike grises. Un sac de sport similaire à celui que Mme Mercer avait préparé pour sa fille pendait à son épaule.

Le tennis. C'est vrai.

– Ce n'est pas l'envie qui me manque, marmonna-t-elle.

– Pas question. (Charlotte passa un bras sous celui d'Emma et l'entraîna dans le couloir.) Viens. Après ta tentative d'évasion de ce matin, Laurel a mis tes affaires dans le vestiaire de l'équipe. Maggie nous tuera si on est à la bourre.

Tout en marchant, Emma détailla Charlotte, surprise que celle-ci joue également au tennis. Elle avait plutôt un physique de lutteuse. Prise de culpabilité, Emma se mordit la lèvre. *Ce n'était pas très gentil.*

Ce n'était pas bien méchant non plus comparé à ce dont j'étais capable, d'après le seul souvenir qui avait rejailli de ma mémoire... Et j'avais le pressentiment que ce n'était que le sommet de l'iceberg.

Emma et Charlotte enfilèrent le couloir de l'Almanach, dont les murs étaient couverts de photos des années précédentes. Sur l'une d'elles, Sutton riait avec ses amies dans ce qui ressemblait à la cour du lycée. Juste à côté, un cliché pris sur le vif montrait Laurel et un garçon brun assis dans les gradins du gymnase, occupés à faire une bataille de pouces. Emma sursauta. C'était le garçon qu'elle avait vu la veille sur le panneau d'affichage dans la chambre de Sutton, et le matin même sur une affiche au poste de police : Thayer Vega, le frère de Madeline. Elle se demanda ce qui lui était arrivé, pourquoi il s'était enfui et où il se trouvait maintenant. Ou si, comme Sutton, il n'avait pas fugué mais avait été tué.

– Alors, comment s'est passée ta journée ? demanda Charlotte, sa queue de cheval dansant dans son dos.

– Oh, pas mal. (Emma contourna deux filles qui arrivaient en sens inverse, serrant le script de *My Fair Lady* sur leur poitrine.) Mais tous mes profs se sont conduits comme s'ils voulaient ma peau.

Charlotte renifla.

– Ça t'étonne ?

Emma fit courir ses doigts le long de la sangle du sac de sport de Sutton. *Oui,* aurait-elle voulu avouer. Ce n'était pas tous les jours qu'un prof la traitait d'Enfant du Démon, la faisait asseoir au premier rang pour pouvoir « garder un œil sur elle » ou la foudroyait du regard en disant : « Pour ta gouverne, tous les bureaux de cette salle sont vissés au sol. » Euh, d'accord.

Mais déjà, Charlotte avait changé de sujet. Elle se plaignait de son prof de gym et de quelque chose qu'elle appelait l'Aération Puante.

— Et je me suis déjà fait repérer par Mme Grady, ma prof d'histoire, poursuivit-elle. Après la fin du cours, elle m'a demandé de rester un peu et elle m'a dit : « Tu es une fille intelligente, Charlotte. Ne te laisse pas entraîner par tes camarades. Fais quelque chose de ta vie ! »

Elle leva les yeux au ciel.

Les deux filles tournèrent dans l'aile de sciences naturelles. Un squelette humain se dressait à l'extérieur d'une des classes. En le voyant, Emma frissonna. *Si ça se trouve, Sutton ressemble à ça maintenant,* songea-t-elle.

Charlotte lui donna un léger coup de coude.

— Mais assez parlé de moi. Comment vas-tu ? (Les yeux plissés, elle scruta la poitrine d'Emma.) Où est ton collier ?

Emma porta une main à son cou.

— Je ne sais pas.

Charlotte haussa les sourcils.

— Là, tu me surprends. (Elle remonta la sangle de son sac de sport sur son épaule.) Comment ça va avec Garrett ?

— Euh, bien. Il est chouette, répondit lentement Emma.

Elle pensa à la photo de Sutton et de Garrett qu'elle avait vue sur Facebook. C'était la seule information dont elle disposait.

Charlotte lui adressa un sourire forcé, pas franchement chaleureux.

– J'ai entendu dire qu'il allait t'offrir quelque chose de très spécial pour ton anniversaire.

– Vraiment ?

– Mmmh. Veinarde.

La voix de Charlotte était tendue. Emma lui jeta un coup d'œil prudent, mais la jeune fille était occupée à tripoter la sangle de son sac de sport.

Quelques instants plus tard, elles pénétrèrent dans un vestiaire caverneux, où résonnaient des claquements de portes de casier et la voix des pom-pom girls qui s'échauffaient en chantant *Be agressive* et en frappant dans leurs mains.

Emma enfila rapidement le short et la brassière préparés par Mme Mercer, puis suivit Charlotte à travers un dédale de couloirs pour rejoindre le reste de l'équipe de tennis. Allongées par terre, les fesses en l'air, les autres filles s'étiraient les muscles pyramidaux. Emma aperçut Laurel au deuxième rang ; quand la sœur de Sutton la vit, elle détourna les yeux. Au premier rang, une brune exotique la foudroya du regard. *Nisha.*

– Sutton ? appela quelqu'un d'autre.

Une jeune femme d'environ vingt-cinq ans, qui faisait les cent pas sur un côté du gymnase, sourit à Emma. Elle avait des cheveux blond-roux attachés en queue de cheval et portait un polo bleu. Les mots « ENTRAÎNEUR DE L'ÉQUIPE DE TENNIS DE HOLLIER » se détachaient sur un de ses seins au-dessus du prénom « MAGGIE ».

– En place ! Les co-capitaines devant ! ordonna-t-elle.

Les co-capitaines ? Emma faillit éclater de rire. Si elle avait déjà joué au tennis, c'était essentiellement sur la Wii d'Alex. Elle jeta un coup d'œil à Charlotte comme pour réclamer son aide, mais la rouquine haussa les épaules.

– Allez, on se bouge, s'impatienta Maggie en agitant les mains.

Emma reporta son attention sur Nisha. Celle-ci portait un T-shirt gris-vert marqué « CAPITAINE DE L'ÉQUIPE DE TENNIS DE HOLLIER ». Emma frémit. L'univers conspirait définitivement contre elle.

Lentement, elle se fraya un chemin parmi les filles aux fesses levées vers le plafond jusqu'à ce qu'elle atteigne le premier rang. Elle adressa à Nisha un sourire amical qui signifiait : « Puisqu'on dirige cette équipe ensemble, soyons amies ! », mais la jeune fille ne lui rendit qu'un regard dégoûté.

Maggie donna un coup de sifflet, et les filles s'assirent par terre.

– Comme vous le savez, la tradition veut que pour le premier entraînement de l'année, nous portions nos uniformes de Hollier afin de renforcer notre esprit d'équipe. (Deux des joueuses poussèrent des « Woohoo ! » enthousiastes.) Nisha Banerjee et Sutton Mercer, nos deux nouvelles co-capitaines, vont avoir l'honneur de vous les distribuer.

Maggie désigna une caisse de plastique bleue posée devant Nisha. Jetant un coup d'œil à l'intérieur,

Emma vit des robes de tennis soigneusement pliées et empilées. Elle voulut en sortir une, mais Nisha lui donna une tape sur la main.

– Je m'en occupe.

Elle se tourna vers les joueuses et commença à les appeler par leur nom. Une par une, les filles s'avancèrent. Nisha leur tendit leur uniforme tel un proviseur remettant leur diplôme de fin d'études secondaires à ses élèves de terminale. Lorsque chaque joueuse eut reçu le sien et que Maggie eut disparu dans le bureau des entraîneurs, Nisha saisit la dernière robe qui restait dans la caisse et la donna à Sutton.

– Tiens.

Emma déplia la robe et la plaqua contre elle. Les manches faisaient à peu près trois centimètres de long, et la jupe lui couvrait à peine le ventre. Ou quelqu'un l'avait fait rétrécir au séchage, ou elle avait été conçue spécialement pour la Schtroumpfette. Plusieurs filles ricanèrent. Emma sentit le rouge lui monter aux joues.

– Euh... Il n'y a rien d'un peu plus grand ?

Nisha rejeta sa queue de cheval par-dessus son épaule.

– J'ai déjà distribué les autres, Sutton. Ça t'apprendra à ne pas être venue m'aider hier après-midi.

– Mais... je n'étais pas là hier ! protesta Emma.

Et de fait, la veille, elle était restée coincée une bonne partie de la journée dans le bus qui l'avait conduite à Tucson.

Nisha eut un reniflement de dédain.

– Donc, je suppose que c'est ta jumelle que j'ai vue à ma soirée ? (Elle désigna l'uniforme microscopique.) Dépêche-toi de t'habiller, co-capitaine. Tu veux prouver que tu as l'esprit d'équipe, oui ou non ?

Et roulant des hanches, elle sortit du gymnase pour se diriger vers les courts de tennis. Quelques-unes des plus jeunes joueuses lui emboîtèrent le pas. Les gloussements s'amplifièrent, et les hauts murs du bâtiment démultiplièrent leur écho.

Emma roula l'uniforme en boule entre ses mains. Jamais personne n'avait été si ouvertement méchant avec elle. Nisha avait vraiment une dent contre Sutton.

C'était aussi ce que je me disais, et sans que je sache pourquoi, ça me rendait nerveuse.

Charlotte s'approcha d'Emma, les lèvres pincées.

– On ne peut pas la laisser te traiter comme ça, lui siffla-t-elle à l'oreille. Tu penses la même chose que moi ?

Emma la dévisagea sans comprendre.

– On se la fait, déclara Charlotte. Bientôt.

On se la fait ? Un frisson d'incertitude ébranla Emma jusqu'à la moelle. Mais avant qu'elle puisse demander des explications, Charlotte l'entraîna vers la sortie du gymnase et sous le soleil punitif de l'Arizona, nous laissant nous interroger toutes deux sur la signification de ses paroles.

12

LE PREMIER DÎNER EN FAMILLE
RATÉ D'EMMA

Après l'entraînement de tennis, Emma rentra chez Sutton. Dès qu'elle passa la porte, elle fut assaillie par une bonne odeur de viande grillée, de patates au four et de pain frais. Mme Mercer passa la tête par la porte de la cuisine.

– Te voilà enfin ! Le dîner est prêt.

Emma passa une main dans ses cheveux mouillés. *Déjà ?* Elle avait espéré avoir un peu de temps à elle avant de manger. Pouvoir monter dans la chambre de Sutton, se rouler en boule sur son lit, pleurer la jumelle morte qu'elle n'avait jamais rencontrée et s'interroger sur la suite des événements. Au lieu de ça, elle laissa le sac de sport de Sutton dans le vestibule et entra dans la cuisine.

Mme Mercer disposait de grands gobelets à eau sur la table, tandis que M. Mercer débouchait une bouteille de vin et remplissait deux verres à pied. Laurel était déjà assise ; elle jouait avec sa fourchette. Elle s'était éclipsée dès la fin de l'entraînement, sans proposer à Emma de la ramener en voiture.

Emma se glissa sur la chaise voisine de celle de Laurel. Une minuscule grue en papier plié se dressait près de son gobelet à eau. Laurel se racla la gorge et la désigna du menton.

– Tu devrais l'ouvrir.

Emma fixa la grue un instant, puis promena un regard prudent autour de la table. En fait, elle aurait préféré ne pas l'ouvrir, surtout s'il s'agissait d'un nouveau message de menace. Mais Laurel l'observait.

Le papier origami brillant crissa lorsque Emma déplia soigneusement la grue. Du côté blanc, il était écrit : *Je te pardonne. – L*

– J'ai entendu dire que la soirée de Nisha était nulle. (Laurel tordit sa serviette en tissu dans ses mains.) Et j'ai fini par interroger Char après l'entraînement. Elle m'a dit qu'elle et les autres t'avaient kidnappée.

Emma reconstitua la grue de papier et toucha le bras de Laurel.

– Merci.

Ce n'était pas grand-chose, mais elle était contente que quelqu'un croie enfin ce qu'elle lui avait dit.

– De rien, marmonna Laurel en lui jetant un coup d'œil plein d'espoir.

Soudain, j'eus un nouveau flash à son sujet. Je nous vis toutes les deux debout devant un portail sur lequel une pancarte clamait : « PISCINE DE L'INSTITUT LA PALOMA – RÉSERVÉE À LA CLIENTÈLE ! » Nous portions le même genre de short en tissu-éponge et d'énormes lunettes de soleil qui nous mangeaient le visage.

– Fais comme si tu avais parfaitement le droit d'être ici, ordonnais-je à Laurel en lui prenant la main.

Elle me lança le même regard empli de loyauté qu'elle venait de jeter à Laurel, ce regard qui signifiait : « Tu es la grande sœur et je veux juste être comme toi. » Donc, il y avait eu une époque où nous nous entendions bien. Après avoir « revu » la scène des bassins chauds, je n'en aurais pas juré.

– Que ça ne t'empêche pas de te racheter, ajouta Laurel en croisant les bras sur sa poitrine. Une manucure chez M. Pinky la semaine prochaine, avant ta soirée d'anniversaire, ce serait bien. Mercredi, peut-être ?

– D'accord, acquiesça Emma, même si le mercredi suivant lui paraissait aussi lointain que le prochain millénaire.

Elle ne savait même pas si elle serait encore à Tucson d'ici là.

Mme Mercer sortit un plat du four et le posa bruyamment. M. Mercer sortit d'un tiroir des couteaux à viande à la lame étincelante. Laurel se pencha vers Emma. Le devant de son chemisier bâilla, et Emma aperçut le haut dentelé de son soutien-gorge rose.

– Pourquoi tu es partie en courant ce matin ? demanda-t-elle tout bas. Mads m'a dit qu'elle t'avait vue descendre d'une voiture de police pendant le rassemblement.

Emma se raidit.

– J'essayais de sécher, chuchota-t-elle en retour. Un flic qui passait par là m'a aperçue. Il a dit que si je ne retournais pas au lycée avec lui, il augmenterait l'amende pour récupérer ma voiture.

– Ça craint.

Une mèche de cheveux couleur de miel tomba devant les yeux de Laurel.

Les deux filles furent interrompues par Mme Mercer qui se précipita vers la table avec des assiettes fumantes. Elle distribua une entrecôte, des épinards et des patates au four à chacun. M. Mercer glissa discrètement un petit pain à Drake, qui l'avala tout rond. Lorsque tout le monde fut servi, Mme Mercer s'assit et déplia sur ses genoux une serviette imprimée d'ananas.

– Ton entraîneur vient juste de m'appeler, Sutton. Elle a dit que tu n'avais pas l'air en forme aujourd'hui.

– Oh.

Emma coupa sa patate au four en deux. L'entraînement de tennis n'avait pas été une partie de plaisir. Du moins n'avait-elle pas été forcée de porter sa robe de Schtroumpfette : Maggie lui avait promis qu'elle réglerait le problème le lendemain. Après ça, Emma avait réussi à renvoyer quelques balles – merci la Wii ! –, mais tous les services lui étaient passés au-dessus de la tête, et quand elle avait joué en double avec Charlotte, elle avait violemment percuté celle-ci en se précipitant pour rattraper une balle qui ne lui était pas destinée.

– Je suppose que je suis un peu rouillée, dit-elle sur un ton d'excuse.

Sans compter qu'elle avait d'autres soucis en tête.

M. Mercer fit claquer sa langue.

– Probablement parce que tu ne t'es pas entraînée de tout l'été, dit-il sur un ton désapprobateur.

– Tu devrais passer un peu de temps sur le court ce soir, suggéra Mme Mercer en s'essuyant la bouche avec sa serviette.

– Sutton a peut-être eu du mal à se concentrer parce que Nisha Banerjee n'a pas arrêté de la chercher, intervint Laurel.

Emma lui jeta un coup d'œil reconnaissant. C'était agréable que Laurel prenne sa défense.

En réalité, elle prenait *ma* défense, songeai-je. Mais j'étais d'accord avec Emma. C'était chouette que Laurel essaie de me protéger.

L'expression de Mme Mercer s'adoucit.

– Comment va Nisha ? J'ai rencontré son père au club ce week-end. Apparemment, elle a été en camp de tennis cet été. Et elle a suivi un programme pré-universitaire à Stanford. Je l'admire de rester aussi forte après ce qui est arrivé à sa mère.

Emma renifla. Si « forte » était synonyme de « chiante », alors Mme Mercer avait bien raison.

– Nisha est assez diabolique dans son genre.

– Carrément, acquiesça Laurel.

– Parce que Madeline et Charlotte sont des anges, peut-être ? lança Mme Mercer avant de mordre dans un morceau d'entrecôte.

– Madeline et Charlotte sont géniales ! affirma Laurel. Et gentilles.

Mme Mercer sirota une gorgée de vin.

– Vous savez que ça ne me plaît pas que vous fréquentiez ces filles. Elles s'attirent toujours tellement d'ennuis...

Emma avala sa bouchée en pensant au dossier que l'inspecteur Quinlan lui avait montré au poste de police. Madeline et Charlotte n'étaient pas les seules à s'attirer des ennuis.

– Même leurs parents sont... bizarres, poursuivit Mme Mercer en prenant des épinards sur sa fourchette. (Après avoir avalé, elle ajouta :) J'ai toujours trouvé que Mme Vega en faisait trop avec Madeline et ses cours de danse, qu'elle ne devrait pas la pousser autant. Et son mari est tellement... exalté. Cette façon qu'il avait de se disputer avec Thayer en public...

Sans achever sa phrase, elle jeta un coup d'œil par en dessous à Laurel, qui tartinait du beurre sur la moitié d'un petit pain.

Emma se pencha en avant, espérant que Mme Mercer en dirait plus sur le jeune disparu. Mais la mère de Laurel et de Sutton s'en prit ensuite aux Chamberlain.

– Quant à la mère de Charlotte, je ne la comprends pas, dit-elle en fronçant le nez. Chaque fois que j'ouvre le journal, elle est en train de baptiser un autre bateau au champagne sur le bord du lac Havasu, et chaque fois, elle porte une robe différente.

M. Mercer piqua un morceau d'entrecôte avec sa fourchette.

– Les robes de Mme Chamberlain sont toujours... très intéressantes, commenta-t-il.

142

– Indécentes, tu veux dire ? (Mme Mercer porta une main à sa bouche.) Désolée, les filles. Ce n'est pas bien de parler des gens dans leur dos, n'est-ce pas, James ?

– Pas bien du tout, non, murmura M. Mercer.

Puis son regard se braqua sur Emma tel un rayon laser, et une expression alarmée passa sur son visage. La jeune fille pencha la tête sur le côté tandis que son cœur se mettait à battre la chamade. Soudain, le père de Sutton la dévisageait comme s'il *savait*.

Puis il détourna les yeux. Emma écrasa sa patate avec sa fourchette, comme elle le faisait toujours depuis toute petite.

– Madeline et Charlotte cherchent peut-être les ennuis parce que leurs parents sont préoccupés par d'autres choses, suggéra-t-elle.

Mme Mercer se radossa à sa chaise.

– Quelle clairvoyance, Oprah[1] !

Emma haussa nonchalamment les épaules. C'était pratiquement la leçon numéro 1 dans le Manuel de Psychologie des Enfants Placés en Famille d'Accueil : la plupart d'entre eux se mettaient à déconner quand ils manquaient d'affection ou d'attention. Ils n'avaient pas de parents pour les aider à faire leurs devoirs, venir les encourager pendant un match ou les pousser à participer aux concours d'inventions. Personne ne leur lisait d'histoires le soir avant qu'ils s'endorment, ne les embrassait avant d'éteindre la lumière ou ne prenait le temps de dîner en famille avec eux.

---

1. NdT : Oprah Winfrey était l'animatrice d'un célèbre talk-show américain, durant lequel elle « confessait » ses invités.

Soudain, Emma réalisa quelque chose : c'était son premier dîner en famille depuis... toujours. Même quand elle habitait avec Becky, la plupart du temps, elles mangeaient dans la voiture après être passées au drive-in, ou sur des plateaux devant la télé. Ou bien, Emma engloutissait un bol de céréales sur un coin de table pendant que Becky haranguait la cour déserte de l'immeuble durant une bonne heure.

Une fois de plus, la jalousie menaça de la submerger, mais Emma la mit de côté en repensant au message reçu le matin. *Sutton est morte.* Jamais elle ne dînerait avec sa sœur.

Un moment, les convives gardèrent le silence, et on n'entendit que le bruit des fourchettes tintant contre les assiettes, des cuillères raclant les plats. Le bipeur de M. Mercer sonna ; il y jeta un coup d'œil avant de le ranger dans son étui. Plusieurs fois encore, Emma le surprit en train de la dévisager. Il finit par presser ses paumes sur sa table.

— D'accord. Si je ne te pose pas la question, ça va finir par me rendre fou. Quand t'es-tu fait cette cicatrice au menton ?

Le cœur d'Emma lui remonta brusquement dans la gorge. Mme Mercer et Laurel se tournèrent vers elle.

— Euh, quelle cicatrice ?

— Là, dit M. Mercer en tendant un doigt vers elle par-dessus la table. Je ne l'avais encore jamais remarquée.

Laurel plissa les yeux.

— Ah oui. Trop bizarre.

Mme Mercer fronça les sourcils et ne dit rien.

Emma toucha son menton. Elle s'était fait mal en tombant d'un portique au McDonald's. Elle avait perdu connaissance deux ou trois secondes. En revenant à elle, elle pensait voir Becky penchée sur elle pour la réconforter, mais sa mère semblait avoir disparu.

Emma avait fini par la retrouver de l'autre côté de l'aire de jeux. Les genoux remontés jusqu'aux oreilles et les pieds calés dans les minuscules étriers, Becky se balançait sur un cheval à ressort en sanglotant éperdument. Quand elle avait vu le sang qui dégoulinait du menton d'Emma, elle avait redoublé de larmes.

Mais Emma ne pouvait pas raconter ça à M. Mercer. Elle porta son gobelet d'eau à ses lèvres.

– Je l'ai depuis un moment. Vous ne devez pas me connaître aussi bien que vous le pensez.

– C'est à cause de la fille nommée Emma ? lança Mme Mercer.

Emma faillit s'étrangler. Un sourire moqueur fleurit sur les lèvres de la mère de Sutton.

– Et au fait, comment va Emma ce soir ? ajouta M. Mercer en faisant un clin d'œil.

Mme Mercer dévisageait Emma, attendant sa réponse. *Elle plaisantait, pas vrai ?* Mais Emma n'en était plus si sûre. Elle n'était plus sûre de rien.

– Euh, Emma est un peu désorientée, murmura-t-elle.

Ma famille ne pouvait pas savoir à quel point c'était vrai.

13

LE CORPS PAR TERRE

Une demi-heure plus tard, Emma descendit l'allée de la maison des Mercer et tourna à droite vers le grand parc qui se situait à l'angle du lotissement. Après avoir bien réfléchi, elle avait décidé de suivre le conseil de Mme Mercer et de s'entraîner au tennis. Une amélioration foudroyante autant que miraculeuse lui permettrait peut-être de botter le petit cul ferme de Nisha le lendemain – ou tout au moins, de ne pas s'étaler à plat ventre en essayant de rattraper une balle amortie.

Son BlackBerry, niché dans le sac de sport près de l'iPhone de Sutton, bipa soudain. Le prénom d'Alex s'affichait sur l'écran.

– Tu es vivante ! s'exclama la jeune fille quand Emma décrocha. Tu étais censée me rappeler hier soir ! J'ai cru que tu étais tombée dans le canyon !

Emma eut un rire sans joie.

– Non, je suis toujours là.

– Alors, comment est ta sœur ? Vous vous entendez bien ?

– Euh…

Emma fit un écart pour éviter la trottinette qu'un enfant avait abandonnée sur le trottoir. Difficile de croire qu'elle n'était là que depuis vingt-quatre heures.

– Elle est géniale. On s'éclate comme des folles.

Elle espéra que sa voix ne paraissait pas forcée. Instinctivement, elle regarda derrière elle pour s'assurer que personne ne l'écoutait.

– Tu comptes rester là-bas un moment ? Tu vas emménager chez elle ? Ce serait mortel ! s'enthousiasma Alex.

Emma déglutit avec difficulté et, pour la millionième fois depuis le matin, revit dans sa tête le message de menace. *Sutton est morte.*

– Je ne sais pas encore.

– Je suis si contente pour toi ! (La communication fut coupée un instant.) Zut, j'ai un autre appel. On se reparle plus tard, d'accord ? Je veux que tu me racontes tout !

Et Alex raccrocha.

Emma garda son téléphone tiède contre l'oreille pendant quelques secondes, tandis que la culpabilité la remplissait comme l'eau se déversant d'une borne anti-incendie cassée. Avant ça, jamais elle n'avait menti à Alex – et surtout pas à propos de quelque chose d'aussi important. D'un autre côté, ce n'était pas comme si elle avait eu le choix.

Un craquement résonna derrière elle. Emma se figea. Était-ce... un bruit de pas ? Elle pivota lentement, le silence bourdonnant à ses oreilles.

La nuit était tombée. La lumière rouge d'une alarme clignotait sur le tableau de bord d'un SUV garé contre le trottoir. Emma vit remuer quelque chose près d'une des roues, et elle fit un bond en arrière. Un lézard couleur de sable jaillit de dessous la voiture et fila se cacher sous une grosse benne à ordures munie de roulettes.

Emma se passa les mains sur le visage en s'efforçant de se calmer. Le parc se trouvait au bout de la rue, vaste étendue de pelouse soigneusement tondue au milieu de laquelle se découpaient des aires de jeux et des terrains de sport. Elle courut jusque-là à petites foulées, le sac de Sutton lui martelant la hanche.

Deux types torse nu et en sueur remballaient leurs affaires sur le terrain de basket. Un couple de joggeurs faisait des étirements près d'une poubelle verte. Une machine qui ressemblait à un parcmètre se dressait à l'extérieur du grillage qui entourait les courts de tennis. « 75 CENTS POUR 30 MINUTES », indiquait-il.

Les joueurs de basket étaient partis. À présent, Emma n'entendait plus que le souffle du vent et... un bruit ténu sur sa gauche, comme si quelqu'un venait de déglutir.

– Houhou ? appela-t-elle tout bas.

Pas de réponse.

Ressaisis-toi, se morigéna-t-elle. Carrant les épaules, elle glissa trois pièces de vingt-cinq cents dans la fente étroite de l'horodateur. Des projecteurs s'allumèrent brusquement au-dessus d'elle. Leur lumière était si crue qu'Emma frémit et leva un bras replié devant ses yeux. Elle poussa la porte grillagée et balaya du regard la surface bleu-vert des courts.

Ce fut alors qu'elle le vit. Un homme gisait sur le dos au milieu du court le plus proche, les bras et les jambes en étoile.

Emma hurla. Le type se releva d'un bond, ce qui la fit hurler de plus belle. Elle lui jeta sa raquette à la tête ; celle-ci manqua sa cible, rebondit sur le sol et s'immobilisa près du filet.

Les yeux plissés, le type dévisagea Emma.

– Sutton ? dit-il au bout d'un moment.

– Oh, bredouilla la jeune fille.

C'était Ethan.

Le jeune homme ramassa la raquette et s'approcha d'elle. Il portait un T-shirt noir, un short de gym bleu et des baskets New Balance grises.

– Je suis vraiment contente que ce soit toi, souffla Emma.

Ethan fronça le nez.

– Tu jettes toujours ta raquette à la figure des gens que tu es contente de voir ?

Emma la lui reprit des mains.

– Désolée. Tu m'as fait peur. J'ai cru que tu étais…

Elle n'acheva pas sa phrase. *L'assassin de ma sœur. L'auteur de messages anonymes et menaçants.*

– Le grand méchant loup ? suggéra Ethan.

Emma acquiesça.

– Quelque chose comme ça.

Le couple de joggeurs longea le court. Une voiture basse sur ses suspensions passa dans la rue en

150

klaxonnant le thème du *Parrain*. Emma reporta son attention sur Ethan.

– Qu'est-ce que tu faisais allongé par terre dans le noir ?

– Je regardais les étoiles. (Le jeune homme désigna le ciel.) Je viens ici presque tous les soirs. C'est un endroit génial, justement parce qu'il fait toujours très noir ici. Enfin, il faisait très noir jusqu'à ce que tu arrives. (Il s'appuya contre une fontaine à eau en pierre qui se dressait sur le bord du terrain.) Et toi, qu'est-ce que tu fais là ? Tu m'espionnes ?

Emma rougit.

– Non, je voulais m'entraîner. Mon jeu a dégringolé du A au D – pendant l'été.

– Tu espères montrer à Nisha qui commande ?

Emma sursauta. Comment se faisait-il qu'il soit au courant de l'antagonisme entre les deux filles ? Comme s'il avait lu dans ses pensées, Ethan se fendit d'un large sourire.

– Votre rivalité est légendaire. Même moi, j'en ai entendu parler.

Emma détailla les pommettes ciselées d'Ethan, ses yeux enfoncés dans leurs orbites et ses épaules musclées. Il avait passé tout le cours d'allemand à regarder par la fenêtre sans parler à personne. Il était le seul élève auquel Frau Fenstermacher ne s'était pas attaquée. Quand la cloche avait sonné, il s'était éloigné seul dans le couloir, de gros écouteurs Bose plaqués sur les oreilles. Plusieurs filles lui avaient jeté des regards approbateurs sur son passage, mais il s'était contenté de hausser les épaules et de poursuivre son chemin.

– Tu as besoin d'un partenaire ? demanda Ethan, arrachant Emma à ses pensées.

Emma pencha la tête sur le côté

– Pour jouer au tennis ?

– Non, au croquet. (Grimaçant, Ethan désigna le parking.) J'ai une raquette dans le coffre de ma voiture. Mais si tu n'as pas envie...

– J'adorerais ça. (Emma sourit. Ses nerfs dansaient la gigue sous sa peau.) Merci.

– Pas de problème.

Ethan avait l'air un peu nerveux. Les deux jeunes gens se détournèrent et tentèrent de sortir en même temps. Ils se bousculèrent, la hanche d'Emma heurtant celle d'Ethan.

– Oups, gloussa la jeune fille.

Ils reculèrent d'un même mouvement. Puis Emma s'avança vers la porte grillagée, et Ethan en fit autant. Ils se cognèrent une fois de plus. Emma marcha sur le pied d'Ethan.

– Désolée, bredouilla-t-elle en bondissant en arrière.

– Je voulais juste...

Ethan s'écarta en tendant le bras sur le côté comme pour dire « Après toi ». Les joues d'Emma s'enflammèrent.

Enfin, ils réussirent à sortir du court, et Ethan récupéra sa raquette de tennis dans sa voiture. Ils se renvoyèrent la balle un moment. Au bout d'une demi-heure, Emma eut l'impression que son service s'améliorait et qu'elle ne tricotait plus des pieds comme un poulet décapité.

– On fait une pause ? lui proposa Ethan depuis l'autre côté du court.

Emma acquiesça. Ils s'écroulèrent sur le banc de touche. De sa sacoche, Ethan sortit une bouteille d'eau minérale Fiji et un paquet de M&Ms au chocolat noir.

– Tu n'as pas l'air si rouillée.

Emma but longuement au goulot de la bouteille, faisant attention à ne pas laisser d'eau lui couler le long du menton.

– Pourtant, je le suis, affirma-t-elle. Mais merci de m'avoir aidée. C'était vraiment sympa.

Ethan haussa les épaules.

– Pas de souci.

Les lumières fluorescentes bourdonnaient au-dessus de leur tête. Ethan fit rouler une balle de tennis sous son pied.

– Alors, pourquoi tu n'as pas voulu m'accompagner à la soirée hier ? finit par demander Emma.

Ethan se détourna d'elle, faisant face au grand bac à sable situé de l'autre côté du grillage. Deux pelles en plastique et des moules en forme de château gisaient abandonnés sur le bord. Emma aurait parié que le sable sentait l'urine.

– Je ne suis pas très fan des gens avec lesquels tu traînes.

Emma haussa les épaules. Elle non plus, elle n'était pas forcément fan des amis de Sutton.

– Tu n'aurais pas eu besoin de leur parler. C'est moi qui t'invitais.

Ethan tritura une croûte sur son genou.

– Franchement... J'ai cru que c'était un piège. Que si j'allais à cette soirée... Je ne sais pas. Quelqu'un me verserait du sang de cochon sur la tête comme dans un film d'horreur, ou un truc de ce style.

– Jamais je ne te tendrais de piège ! protesta Emma.

Ethan renifla.

– Tu veux dire que Sutton Mercer n'est pas le genre de fille qui tend des pièges aux autres ?

Il la dévisagea d'un air dubitatif.

Emma fixa le filet qui brillait doucement au milieu du court. Elle n'avait aucune idée de ce dont Sutton était capable ou pas. Mais tous ces commentaires des profs, le dossier de l'inspecteur Quinlan... Emma commençait à se sentir personnellement responsable des agissements de sa sœur, alors même qu'elle ignorait en quoi ils consistaient.

Plongeant la main dans le sachet ouvert de M&Ms, elle en prit une poignée et les disposa machinalement sur sa cuisse de manière à former un smiley : deux pastilles bleues pour les yeux, un nez vert, un sourire rouge et marron.

– Toi aussi, tu fais ça ? demanda Ethan.

Emma leva les yeux vers lui.

– Moi aussi je fais quoi ?

– Tu dessines des visages avec ta nourriture, répondit Ethan en désignant sa création.

Emma baissa la tête.

– Je fais ça depuis que je suis toute petite.

Elle sculptait des smileys dans ses glaces avec des pépites de chocolat, ou les traçait dans son assiette vide avec du ketchup après avoir mangé des frites.

Une psychologue l'avait surprise en train d'en dessiner un avec des Cheerios pendant une de leurs séances, et avait dit à Emma qu'elle faisait probablement ça parce qu'elle se sentait seule. Mais Emma pensait juste que toute nourriture méritait une certaine personnalité.

D'une pichenette, Ethan propulsa un M&Ms dans sa bouche.

– Quand j'étais gosse, mon père me faisait une gaufre que nous appelions Bob. Bob avait deux grosses myrtilles en guise d'yeux, un nez en crème fouettée et...

– Laisse-moi deviner, coupa Emma en gloussant. Une tranche de bacon comme sourire ?

– Faux. (Ethan tendit un doigt vers elle.) Une tranche de melon !

– Du melon sur une gaufre ? (Emma tira la langue.) Beurk.

Ethan grimaça et secoua la tête.

– J'ai du mal à imaginer Sutton Mercer jouant avec sa nourriture.

– Tu ignores beaucoup de choses sur moi, le taquina Emma. Je suis une fille mystérieuse.

Plus encore que tu ne le crois, ajouta-t-elle en son for intérieur.

Ethan acquiesça.

– Les filles mystérieuses, c'est cool.

Il se pencha davantage vers elle, et sa main toucha l'épaule d'Emma. Cette fois, il ne s'écarta pas immédiatement, et Emma non plus. Un instant, elle eut l'impression que c'était à elle qu'Ethan souriait, et pas à la fille qu'il prenait pour Sutton Mercer.

Clic. Au-dessus d'eux, les lumières s'éteignirent, plongeant de nouveau le court dans le noir. Emma se raidit et poussa un petit cri.

– Ce n'est rien, la rassura Ethan. L'horodateur est juste tombé à court de pièces.

Il aida Emma à se lever. Ensemble, ils se dirigèrent prudemment vers la sortie.

Ethan monta en voiture, démarra, puis passa la tête par sa fenêtre ouverte et dévisagea longuement Emma, d'un air un peu intrigué.

– Merci, Sutton, finit-il par lâcher.

– Merci pour quoi ?

D'un geste vague, il désigna le court et le ciel.

– Pour ça.

Emma sourit en haussant les sourcils dans l'espoir qu'il développerait. Mais le jeune homme passa la marche avant et se dirigea vers la sortie du parking. *Fireflies* de Owl City s'échappait des haut-parleurs de son poste. C'était l'une des chansons préférées d'Emma.

Comme la voiture d'Ethan tournait dans la rue et disparaissait, Emma se laissa glisser le long du grillage jusqu'au bitume encore tiède. Elle avait enfin rencontré quelqu'un de normal. Dommage qu'il s'agisse de la seule personne qui ne voulait pas faire partie de sa vie.

Mais moi qui flottais au-dessus d'elle, je n'en étais pas aussi certaine. Quelque chose me disait qu'Ethan faisait bel et bien partie de ma vie, même s'il n'en laissait rien paraître.

14

LA VERSION VINTAGE D'EMMA

Le mercredi après-midi, de gros nuages noirs ouvrirent les vannes au-dessus de Tucson. Après le septième cours de la journée, Maggie annonça au micro que l'entraînement de tennis était annulé. Emma en fut si soulagée qu'elle envisagea de jeter ses bras autour du cou de sa prof d'histoire de l'Arizona. Ses jambes étaient encore tout endolories après la partie de la veille et sa séance au parc avec Ethan.

En fin de journée, alors qu'elle composait la combinaison du casier de Sutton, une main se glissa autour de sa taille et l'enlaça avec force. Emma fit volte-face. Garrett lui agita un bouquet de tulipes sous le nez.

– Joyeux presque anniversaire ! claironna-t-il gaiement.

Il se pencha pour l'embrasser. Lorsque ses lèvres touchèrent les siennes, Emma se raidit. Il sentait la térébenthine – sans doute sortait-il d'un cours d'arts plastiques.

Je gémis :

– Ne le touche pas !

Comme vous vous en doutez, personne ne m'entendit. Je comprenais qu'Emma devait faire semblant, qu'elle devait jouer mon rôle comme si tout était normal. Mais voir Garrett embrasser une autre fille me remplissait de jalousie et de tristesse mêlées. Il ne m'appartenait plus. Il ne m'appartiendrait plus jamais. J'attendais le moment où il reculerait comme si Emma l'avait frappé, croiserait les bras sur sa poitrine en la détaillant de la tête aux pieds et s'exclamerait : « Oh, mon Dieu, tu n'es pas Sutton ! » Je priais de toutes mes forces pour qu'il le fasse – mais sans résultat.

– Ma copine m'a manqué ces derniers jours, dit-il en s'écartant d'Emma et en rajustant son sac à dos sur son épaule.

Enfin, il avait remarqué ! jubilai-je.

Emma dut penser la même chose, car elle ouvrit la bouche pour se défendre. Mais Garrett ajouta :

– J'ai l'impression de ne pas t'avoir vue depuis des semaines. On va manger des nachos chez Blanco ?

Emma jeta un coup d'œil au casier ouvert.

– Quoi, maintenant ?

– Oui, maintenant. Ton entraînement de tennis a été annulé, pas vrai ? Et je n'ai pas foot non plus. Ne t'en fais pas, une seule assiette de nachos ne te fera pas prendre deux kilos. De toute façon, je t'aimerais encore même avec deux kilos de plus.

Emma ricana. Ce n'était pas la perspective de grossir qui la gênait : après tout, elle avait reçu une mention honorable dans un concours du plus gros mangeur de hot-dogs l'année précédente, ne s'inclinant que devant une minuscule japonaise qui devait avoir une jambe creuse pour loger tout ce qu'elle avait englouti. Non, c'était juste que ça lui ferait bizarre de sortir seule avec Garrett. « Je t'aimerais encore », venait-il de dire. Mais s'il était vraiment amoureux de Sutton, ne se serait-il pas rendu compte de la substitution ?

– Je suis déjà occupée, murmura Emma.

Garrett lui prit les mains.

– Il faut vraiment qu'on parle. J'ai réfléchi à... Tu sais, ce dont on a discuté cet été. Et je crois que tu as raison.

– Ou...ais, acquiesça prudemment Emma.

Il lui semblait tout à coup que Garrett lui parlait dans une langue qu'elle ne connaissait pas. C'était épuisant de faire comme si elle comprenait ce que les gens racontaient autour d'elle toute la journée.

La veille au soir, après être revenue du parc, elle s'était connectée à Facebook sur l'ordinateur de Sutton dans un effort désespéré pour en apprendre le plus possible sur sa sœur : qui elle était, ce qu'elle aimait faire... et qui aurait pu vouloir la tuer. Grâce à la fonction de remplissage automatique de l'adresse mail et du mot de passe, le profil de Sutton s'était chargé tout seul.

Emma avait relu ses statuts, regardé ses photos et ses vidéos, mais elle avait déjà pratiquement tout passé en revue la fois précédente. La seule chose supplémentaire qu'elle avait apprise sur Garrett, par exemple, c'est que Sutton venait l'applaudir à tous ses matches de foot, traînait souvent avec lui et sa sœur cadette Louisa, et décidait à sa place comment il s'habillait. Une fois, elle avait même écrit : « Vous aimez la nouvelle chemise que j'ai achetée à mon copain ? C'est comme jouer à la poupée avec un Ken grandeur nature ! »

Ma première impulsion fut de me rebiffer. Qui était donc Emma pour me juger ? Puis je me demandai pourquoi je me souciais tant des fringues de Garrett. Était-ce juste parce que j'aimais habiller quelqu'un d'autre que moi... ou parce que j'étais du genre à vouloir tout contrôler ?

Emma s'était également mise à utiliser l'iPhone de Sutton. Celui-ci avait sonné un milliard de fois depuis qu'elle était entrée en sa possession, et ne jamais répondre aurait fini par paraître bizarre. Elle avait lu tous les textos conservés en mémoire, mais ils ne contenaient rien de très intéressant : des rendez-vous (« *Mi Nidito à 19 heures* »), des excuses (« *Suis en retard, j'arrive dans 10 min* ») ou des échanges d'insultes (« *Grosse naze* », avait écrit Sutton à Charlotte une fois, ce à quoi cette dernière avait répondu : « *Pétasseuh* »).

Quant au soir où Sutton avait répondu au message d'Emma en lui demandant de venir à Tucson... Il y avait une conversation avec Lilianna à 16 h 23, un appel manqué de Laurel à 20 h 39 et trois de

Madeline à 22 h 32, 22 h 45 et 22 h 59. Mais personne n'avait laissé de message sur la boîte vocale.

Restait le classeur à dossiers sous le bureau de Sutton, celui qui était fermé par un gros cadenas et marqué : « JEU DU M. ». Emma avait cherché la clé partout. Elle avait même attaqué la serrure avec le talon d'une chaussure, sans réussir à rien sinon attirer Laurel qui lui avait demandé ce qu'elle fichait. Elle devait ouvrir ce classeur, mais comment ?

– Qu'est-ce que vous mijotez, petits cachottiers ? lança Madeline en apparaissant à l'angle du couloir et en venant se loger entre les deux jeunes gens.

Emma ne l'avait pas vue depuis qu'elles avaient déjeuné ensemble la veille. Ce jour-là, Madeline portait une robe verte si courte qu'elle enfreignait sûrement le règlement intérieur du lycée, des bas résille et des bottes noires. Un sourire releva le coin de ses lèvres rouge vif.

– J'essayais de convaincre Sutton de venir manger des nachos avec moi, répondit Garrett.

Madeline grimaça.

– Les nachos, ça donne de la cellulite. (Elle saisit le poignet d'Emma.) De toute façon, elle n'est pas libre. Elle vient faire du shopping avec moi. C'est une urgence. J'ai absolument besoin de nouveaux... tout.

– Mais..., protesta Garrett en croisant ses bras musclés sur sa poitrine.

– Désolée, dit Emma en prenant le bras de Madeline avec gratitude.

– On dîne quand même ensemble samedi soir, hein ? lança Garrett dans son dos tandis que les deux filles s'éloignaient.

– Euh, oui, bien sûr, jeta Emma par-dessus son épaule.

Madeline et elle traversèrent le bâtiment de sciences. Les portes toutes ouvertes révélaient des paillasses carrelées de blanc, des placards pleins de fioles et d'éprouvettes et des affiches géantes montrant la table des éléments périodiques.

– Ça ne t'ennuie pas que je t'enlève à Garrett, hein ? demanda Madeline. Les copines passent avant les mecs, pas vrai ?

– Carrément, approuva Emma. De toute façon, je le trouve un peu collant.

– C'est comme ça qu'il fonctionne, tu le sais bien. (Madeline lui donna un coup de hanche.) On fait la course ?

Elle s'élança dans le couloir, Emma sur ses talons. Les deux filles jaillirent du bâtiment et traversèrent le parking sous une pluie battante. Elles freinèrent près de la voiture de Madeline, une vieille Acura au coffre orné d'un autocollant qui représentait une ballerine au-dessus des mots « MAFIA DU LAC DES CYGNES ».

– Monte ! cria la jeune fille en déverrouillant les portières.

Elle se jeta sur le siège conducteur et claqua la portière derrière elle. Emma l'imita de l'autre côté en gloussant.

La pluie crépitait sur le pare-brise et le toit de la voiture. Madeline jeta son sac en cuir clouté sur la banquette arrière et, d'un geste décidé, mit le contact.

– La Encantada ?

– Évidemment, répondit Emma.

Madeline démarra et sortit du parking en trombe, sans même vérifier si d'autres voitures n'arrivaient pas sur la route. Une chanson de Katy Perry s'éleva du poste ; la jeune fille monta le volume et entonna le refrain à tue-tête. Emma en resta bouche bée.

– Quoi ? demanda Madeline sur un ton un peu sec.

– Tu as une si belle voix, et tu chantes tellement juste, s'extasia Emma. (Puis, pensant que ce n'était peut-être pas le genre de chose qu'aurait dite Sutton, elle s'empressa d'ajouter :) Continue, pétasse !

Madeline ramena ses cheveux teints en noir derrière ses oreilles et attaqua le couplet suivant.

Elles se trouvaient à peu près au milieu du long ruban sinueux de Campbell Avenue quand le portable de Madeline sonna. La jeune fille le sortit de sa poche et consulta l'écran tout en gardant un œil sur la route. Emma la vit se rembrunir.

– Tout va bien ?

Madeline braqua son regard droit devant elle, comme fascinée par le feu auquel elle venait de s'arrêter.

– Encore des conneries sur Thayer. On s'en fout.

Elle jeta violemment son téléphone sur la banquette arrière.

– Tu veux en parler ? offrit Emma.

Madeline poussa une petite exclamation de surprise.

– Avec toi ?

– Ben oui, pourquoi pas ?

C'était bien à ça que servaient les amies, non ?

J'étais assez d'accord avec Emma, mais j'avais comme l'impression que mes copines et moi n'étions pas du genre à nous épancher l'une sur l'épaule de l'autre.

Le feu passa au vert, et Madeline enfonça l'accélérateur. Elle avait les yeux vitreux, comme si elle était sur le point de pleurer.

– C'est juste que... les flics ont annoncé à mes parents qu'ils arrêtaient les recherches, dit-elle sur un ton monocorde. Il est officiellement considéré comme fugueur. Ils ne peuvent rien faire de plus.

– Je suis vraiment désolée, murmura Emma.

Elle avait essayé de découvrir pourquoi le frère de Madeline s'était enfui, mais c'était à peine si le profil Facebook de Sutton le mentionnait. Sur Internet, elle avait trouvé une page dédiée à sa disparition, avec une description de ce qu'il portait ce jour-là (un polo trop grand pour lui et un bermuda camouflage), l'endroit où il avait été aperçu pour la dernière fois (les pistes de randonnée près des monts Sainte-Rita, en juin) et l'annonce que la police n'avait rien retrouvé, pas même une chaussure perdue ou une bouteille d'eau minérale vide. Il y avait aussi un numéro vert que les gens pouvaient appeler s'ils détenaient la moindre information.

Comme Sutton n'était pas amie sur Facebook avec Thayer, Emma n'avait pas pu accéder au profil de ce dernier pour en apprendre davantage. Mais elle avait remarqué beaucoup d'interactions entre le jeune homme et Laurel : des photos qui les montraient tous les deux ensemble, des vidéos YouTube postées par l'un sur le mur de l'autre, des commentaires échangés à propos des prochains concerts de rock à l'Université d'Arizona. Mais la page de Laurel ne lui avait rien révélé de plus. Curieusement, la sœur de Sutton n'avait pas fait le moindre commentaire sur la disparition de Thayer. Son seul statut le jour de la disparition du jeune homme disait : « Je vais voir Lady Gaga en novembre, je suis trop contente ! »

Les essuie-glaces couinaient. La pluie s'était arrêtée presque aussi brusquement qu'elle avait commencé, et le bitume luisait. Un arc-en-ciel apparut à l'horizon. Emma tendit un doigt.

– Regarde. Ça porte chance, dit-elle gentiment.

Madeline renifla.

– La chance, c'est pour les idiots.

Emma jeta un coup d'œil à la patte de lapin accrochée au porte-clés de la jeune fille, en se demandant si celle-ci croyait vraiment ce qu'elle venait de dire.

– Tu sais, en général, les fugueurs arrivent à se débrouiller. Où qu'il puisse être, Thayer a dû trouver d'autres jeunes comme lui. Ils veillent sûrement les uns sur les autres.

Les yeux de Madeline étincelèrent.

– Où as-tu été pêcher ça ?

Emma caressa l'ourlet de la robe rayée de chez Anthropologie qu'elle avait choisie dans la penderie de Sutton ce matin-là. Elle connaissait des tas d'enfants placés qui avaient fugué pour se soustraire à des situations abusives. Elle-même l'avait fait une fois, du temps où elle vivait chez M. Smythe, un père d'accueil qui se montrait parfois violent. Après une soirée particulièrement agitée, elle avait fait son sac et quitté la maison. Elle espérait se rendre à Los

Angeles, San Francisco ou dans une autre ville lointaine.

En chemin, elle avait rencontré un groupe d'autres jeunes qui traînaient dans un camping abandonné. Ils s'étaient construit un abri de fortune avec plusieurs tentes, des couvertures et quelques casseroles. Ils avaient réussi à trouver de la nourriture et même deux vélos, un skateboard et une vieille PSP dont ils rechargeaient régulièrement la batterie au Dunkin Donuts du coin.

Parce que Emma avait à peine onze ans, ils l'avaient prise sous leur aile, s'assurant qu'elle dorme toujours à l'abri et qu'elle ait assez à manger. D'une certaine façon, ils s'étaient mieux occupés d'elle que certains parents d'accueil. La police avait débarqué le quatrième jour, alors qu'Emma commençait juste à se sentir bien. Tous ses compagnons avaient été renvoyés dans des foyers ou des centres de détention juvéniles.

– J'ai dû le voir à la télé, finit par répondre Emma.

– Ouais, ben, peu importe. (Madeline rejeta une longue mèche de cheveux brillants par-dessus son épaule, et son beau visage retrouva sa dureté habituelle.) On fait chauffer la carte de crédit et ce sera oublié. Je veux porter un truc neuf à la soirée pyjama de Charlotte, demain. Peut-être une de ces mini robes-shorts de chez BCBG. Et tu ne voulais pas un nouveau J. Brand pour ta soirée d'anniversaire ?

Elles pénétrèrent dans l'immense parking du centre commercial en extérieur. Madeline trouva une place et coupa le moteur. Les deux filles se dirigèrent vers l'escalier roulant qui montait au premier niveau. L'air paraissait frais et propre après l'averse. Les haut-parleurs diffusaient de la muzak en sourdine.

Arrivée en haut de l'escalier roulant, Emma repéra une enseigne tout au fond du centre commercial : FRIPERIE BELLISSIMO. Un papillon battit des ailes dans sa poitrine.

– On peut s'arrêter là une seconde ? demanda-t-elle en tendant un doigt.

Madeline regarda dans la direction qu'elle indiquait et grimaça.

– Huuu. Pourquoi ?

– Parce qu'on peut trouver des trucs géniaux dans les friperies, s'enthousiasma Emma.

Madeline plissa les yeux.

– Mais on n'a jamais mis les pieds là-dedans.

Emma passa son bras sous celui de l'autre fille.

– Chloë Sevigny adore les fringues vintage. Rachel Zoe aussi. (Elle entraîna Madeline le long de la passerelle.) Viens. Nous avons besoin de sortir de notre zone de confort.

La vérité, c'est qu'il était hors de question qu'elle claque deux cents dollars pour un nouveau jean skinny. Ça, c'était bien en dehors de sa zone de confort. Elle se sentirait trop mal si elle dépensait l'argent des Mercer pour quelque chose d'aussi frivole. Et puis, même si elle avait pris la place de sa sœur, elle ne pouvait pas renoncer totalement à sa propre personnalité !

Un carillon tinta lorsque Emma poussa la porte. Comme toutes les friperies, celle-ci sentait la naphtaline, les cartons et la vieille dame. Assis derrière le comptoir, un Noir chauve et rasé de près, portant ce

167

qui ressemblait à une veste en fourrure de léopard des neiges, feuilletait le dernier *Cosmopolitan*. Les portants croulaient sous le poids des vêtements serrés les uns contre les autres ; tout le fond de la boutique était occupé par un mur d'escarpins et de bottes.

Emma se mit à passer les robes en revue. Madeline demeura plantée près de la porte, les bras plaqués contre ses flancs comme si elle avait peur d'attraper une maladie en touchant quoi que ce soit.

— Regarde, dit Emma en sortant une paire de lunettes de soleil bandeau dorées du présentoir. Des Gucci vintage.

Madeline s'approcha à petits pas de ballerine.

— Elles sont sans doute fausses.

— Pas du tout, la détrompa Emma en caressant les deux G entrelacés et en désignant la mention « made in Italy ». Elles sont authentiques, et quasiment données. (Elle retourna l'étiquette pendue à la monture. Quarante dollars.) Je parie qu'elles t'iraient super bien. Et dis-toi que personne n'aurait les mêmes. Tu serais unique.

Dépliant les branches, elle posa les lunettes sur le nez de Madeline. Celle-ci commença par protester, puis ajusta les lunettes et se regarda dans le miroir. Emma sourit. Elle avait vu juste. La forme bandeau accentuait le menton rond et les pommettes hautes de Madeline.

Celle-ci tourna la tête de droite et de gauche pour s'admirer. Elle ressemblait à une héritière en vacances sur une plage. Son expression s'adoucit.

— C'est vrai qu'elles ne sont pas mal, admit-elle.

— Je te l'avais dit.

– Mais tu es sûre qu'elles sont authentiques ?

– J'ai une tête à vendre des contrefaçons ? s'exclama le propriétaire de la boutique, exaspéré, en laissant tomber son *Cosmo* sur le comptoir. Ou vous les achetez, ou vous les enlevez de votre vilain petit nez morveux !

Madeline baissa les lunettes du bout de l'index et lui jeta un regard d'indifférence suprême.

– Je vais les prendre, merci.

Le propriétaire de la boutique encaissa en silence, les lèvres pincées. Dès qu'Emma et Madeline furent sorties, elles s'attrapèrent par les avant-bras et explosèrent de rire.

– C'était quoi, cette veste qu'il portait ? gloussa Madeline en secouant la tête. Un chat mort ?

« Ou vous les achetez, ou vous les enlevez de votre vilain petit nez morveux ! » singea Emma.

– Incroyable.

Lorsque Madeline passa un bras autour des épaules d'Emma, celle-ci sentit son cœur se gonfler dans sa poitrine. Un instant, elle avait presque oublié dans quelle situation elle se trouvait.

Bras dessus, bras dessous, les deux filles montèrent au second. Du haut de l'escalier roulant, Emma aperçut une tête brune familière au niveau inférieur, et elle s'arrêta net. Une adolescente se tenait devant chez Fetch, une animalerie très chic. Elle fouillait parmi les laisses cloutées et les jouets couineurs disposés sur une table. Comme si elle avait senti que quelqu'un l'observait, elle leva la tête. *Nisha.*

Madeline l'avait vue aussi.

– J'ai entendu dire qu'elle serait la prochaine, chuchota-t-elle à l'oreille d'Emma. On va se la faire demain.

Emma fronça les sourcils.

– Se la faire ?

– Charlotte a eu une idée brillante. On passera te prendre à sept heures et demie. Tiens-toi prête.

Nisha dévisagea les filles une dernière fois, puis projeta ses cheveux par-dessus son épaule et s'en fut dans la direction opposée. *Tiens-toi prête ?* se répéta Emma. *Mais à quoi ?* Elle jeta un regard interrogateur à Madeline, mais les nouvelles lunettes Gucci de celle-ci lui cachaient les yeux. Dans les verres teintés, Emma ne vit que son propre reflet, l'air plus paumé que jamais.

Elle n'était pas la seule à ne rien comprendre. Le ton qu'avait employé Madeline me rendait nerveuse. J'avais l'impression qu'elles s'apprêtaient à faire une chose discutable, voire dangereuse. Mais comme Emma, je devrais attendre le lendemain pour découvrir de quoi il s'agissait exactement.

15

LA SCÈNE DU CRIME

Le matin suivant, le SUV de Charlotte vint se garer en rugissant devant la maison des Mercer, manquant renverser une poubelle au passage. Laurel grimpa à l'arrière, et Madeline lui tendit un gobelet Starbucks géant.

– Merci encore de me laisser venir, s'écria Laurel.

– Tu as eu de bonnes idées pour cette opération, murmura Charlotte en tapant sur son BlackBerry. Tu méritais d'y participer.

Emma monta en voiture à la suite de Laurel. Madeline lui tendit un autre gobelet de café, même si Emma ne se souvenait pas lui avoir passé commande la veille. Elle but une petite gorgée et frémit. Bien entendu, il était noir et sucré à l'aspartame. *Beurk.* Comme quoi, les jumelles n'avaient pas forcément les mêmes goûts.

171

On va faire quoi, au juste ? demanda-t-elle.

Charlotte agita dans sa direction la touillette en plastique de son café.

– Ne t'inquiète pas. Cette fois, on s'occupe de tout. C'est cadeau. (Sortant du lotissement des Mercer, elle longea le parc où Emma avait joué au tennis avec Ethan.) Ça tombe à pic, dit-elle tout bas. Je surveille Nisha depuis lundi.

– Et tu as tout organisé hier soir ?

Madeline portait ses nouvelles lunettes de soleil Gucci. La lumière du jour se reflétait sur la monture dorée, projetant des éclats partout à l'intérieur de la voiture.

Charlotte hocha la tête.

– Vous allez adorer. (Dans le rétroviseur, elle jeta un coup d'œil à Laurel.) Tu as parlé à qui tu sais ?

– Oui, gloussa l'adolescente.

– Parfait.

Quelques minutes plus tard, elles se garaient dans le parking du lycée. Les cours ne commençaient pas avant une demi-heure, si bien que la file réservée aux bus était encore vide et que les membres de l'équipe de foot qui s'entraînaient le matin *et* le soir galopaient toujours sur le terrain.

Saisissant les bras d'Emma, Charlotte et Madeline l'entraînèrent à travers la cour et la firent entrer par une porte latérale. Les couloirs étaient déserts. Le souffle de la climatisation agitait les affiches pour l'élection du bureau des élèves. Des traces humides laissées par la serpillière du concierge brillaient encore sur le sol.

Il n'y avait personne dans la salle des casiers, où régnait une odeur de Javel et de désodorisant. Chaque équipe sportive avait sa propre allée. Les élèves gardaient le même casier d'une année sur l'autre – Emma avait ouvert celui de Sutton le mercredi après l'entraînement de tennis et y avait trouvé quelques affaires abandonnées avant les vacances d'été, dont un blouson en nylon brillant marqué « ÉQUIPE DE TENNIS DE HOLLIER » dans le dos.

Comme elles s'orientaient en direction des casiers des joueuses de tennis, Madeline s'arrêta net.

– Ouah !

Laurel se couvrit la bouche de sa main.

Emma se tordit le cou pour regarder de l'autre côté d'elles et faillit hurler. Des papiers gisaient éparpillés sur le sol et sur les bancs. Un liquide rouge maculait la porte de deux casiers. Une silhouette était dessinée par terre. Une grosse tache rouge s'étalait près de sa tête – du sang ? Tout autour, du scotch jaune de police clamait : « SCÈNE DE CRIME – INTERDICTION DE PASSER ».

Le champ de vision d'Emma se rétrécit, et la jeune fille fit un grand pas en arrière. Se pouvait-il que… ? Elle repensa au message. *Sutton est morte.* Peut-être avait-on retrouvé son corps ici. Peut-être la vidéo de strangulation avait-elle été tournée dans l'un des champs voisins. Peut-être l'assassin avait-il traîné sa victime jusqu'au vestiaire afin qu'on l'y découvre. Et si on l'avait effectivement découverte, quelles seraient les conséquences pour Emma ?

Je tentai d'imaginer mon corps gisant sur le sol froid du vestiaire, du sang s'écoulant d'une plaie à ma tête, mes yeux se fermant peu à peu. Cela s'était-il passé ainsi ? Avait-on abandonné mon cadavre ici ? Mais le décor ne collait pas avec les petits bouts de vision que j'avais eus de ma mort − les hurlements, l'obscurité, le couteau sur ma gorge. Quelque chose clochait dans toute cette scène.

Ce fut alors que je remarquai le sourire nerveux de Laurel derrière sa main.

− Pssst.

Charlotte tira les autres dans la salle des douches. Le carrelage était mouillé et brillant, et quelqu'un avait laissé une grosse bouteille de shampoing Aveda sur l'étagère murale dans une des cabines.

Charlotte jeta un coup d'œil par l'ouverture rectangulaire qui tenait lieu de porte et fit signe aux autres de l'imiter. Des joueuses de diverses équipes passèrent devant les casiers de tennis et sursautèrent en apercevant la scène de crime. Une coureuse de cross-country au physique anguleux la prit en photo avec son téléphone. Une petite Asiatique tourna immédiatement les talons et s'enfuit en courant.

Quand Nisha apparut au bout du couloir, Charlotte pressa la main d'Emma.

− Que la partie commence.

Une sueur froide s'empara d'Emma comme elle commençait à comprendre. Mais avant qu'elle puisse dire quoi que ce soit, Charlotte porta un index à ses lèvres. *Chut.*

Les cheveux bruns de Nisha cascadaient dans son dos, et elle portait un sac de tennis vert sur l'épaule. Lorsqu'elle franchit l'angle et découvrit la scène de crime, elle s'arrêta, choquée. Puis elle fit quelques pas hésitants vers le casier entouré de scotch jaune. Une expression d'impuissance passa sur son visage.

— Mademoiselle ?

Une femme en uniforme de police fit irruption dans le vestiaire. Tout le monde sursauta, y compris Emma et ses compagnes. Nisha frémit et serra son bras contre sa poitrine comme pour dire : « Qui, moi ? »

— Pouvez-vous me dire à qui appartient ce casier ?

La peau mate de Nisha vira au gris cendreux. Elle jeta un coup d'œil à l'insigne de la femme, puis à son arme de service.

— Euh, c'est le mien, balbutia-t-elle.

Laurel hoqueta de rire. Charlotte la foudroya du regard.

La fliquette tapa la porte de casier avec l'antenne de son talkie-walkie.

— Vous voulez bien me l'ouvrir ? Il faut que je le fouille.

Le sac de tennis de Nisha glissa de son épaule et s'écrasa par terre. La jeune fille ne le ramassa pas.

— P-pourquoi ?

— J'ai un mandat. (La femme déplia un papier qu'elle fourra sous le nez de Nisha.) Je dois fouiller ce casier.

Charlotte se couvrit la bouche de sa main. Des secousses agitaient tout le corps de Madeline, et de petits bruits étranglés s'échappaient de sa gorge, comme si elle se retenait de hurler de rire. Les deux filles se tournèrent vers Emma. Charlotte haussa les sourcils comme pour demander : « Alors, c'est génial, non ? » Emma détourna les yeux.

D'autres filles se massèrent aux abords des casiers de l'équipe de tennis, chuchotant entre elles et se donnant des coups de coude. La fliquette faisait les cent pas dans l'allée. Nisha ouvrit et referma la bouche plusieurs fois sans qu'aucun son n'en sorte. Ses yeux se remplirent de larmes.

– Je vais avoir des ennuis ? gémit-elle. Je n'ai rien fait !

– Ça, c'est à moi d'en juger, répliqua la fliquette.

Les menottes accrochées à sa ceinture tintèrent.

Madeline donna un coup de coude à Laurel.

– Tu l'as trouvée où ?

– J'ai passé une annonce sur Craig's List[1], répondit l'adolescente avec un sourire rayonnant. Elle étudie le théâtre à l'Université d'Arizona.

La fliquette adressa un signe de tête impérieux à Nisha. Les mains tremblantes, celle-ci composa la combinaison de son casier. À présent, Charlotte était pliée en deux, et Madeline avait coincé sa langue entre ses dents pour étouffer ses gloussements.

Quand Nisha ouvrit le casier, la fliquette plongea une main dedans et en sortit un couteau de cuisine à la pointe couverte de liquide rouge. Nisha s'affaissa sur le banc au milieu de l'allée.

– Je... je ne sais pas comment il est arrivé là ! bredouilla-t-elle.

Emma tira nerveusement sur un bout de peau sèche dans sa paume. D'accord, Nisha était une garce, mais méritait-elle vraiment ça ?

---

1. NdT : Site de petites annonces Internet très populaire aux États-Unis parce qu'on peut y trouver de tout.

Moi aussi, je me posais la question. Peut-être étais-je coutumière de ces mauvaises plaisanteries de mon vivant. Mais vu depuis l'autre bord, ce faux meurtre me soulevait l'estomac. Moi, j'avais été tuée pour de bon. D'ailleurs, c'était une drôle de coïncidence...

– J'ai besoin de fouiller aussi le haut de votre casier, ajouta la fliquette. Ensuite, vous allez m'accompagner au poste.

– Mais c'est une erreur ! protesta Nisha, les yeux pleins de larmes.

Emma tira sur la manche de Charlotte.

– Allez, les filles, ça suffit.

Charlotte se redressa d'un coup et lui fit brusquement face.

– Quoi ?

– Nisha est morte de trouille.

Madeline pencha la tête sur le côté.

– C'est bien pour ça que c'est drôle.

– Il ne faudrait pas qu'elle ait une crise cardiaque, objecta Emma.

– Comme si tu n'avais jamais fait pire, Sutton ! (Une goutte d'eau tomba d'une pomme de douche sur la tête de Charlotte, qui n'y prêta aucune attention.) Tu ne vas pas mollir maintenant ? Il fallait qu'on frappe un grand coup avec elle. Elle nous connaît bien. On ne pouvait pas se contenter de remplir sa piscine de grenouilles, de remplacer son shampoing par du Veet ou un truc débile de ce genre.

– Je trouve que c'était une idée géniale, souffla Laurel derrière elles.

– Merci, dit Charlotte avec un large sourire. Je savais qu'il nous fallait quelque chose de spécial pour démarrer une nouvelle année du Jeu du Mensonge !

Emma se mordit l'intérieur de la joue pour s'empêcher de trahir sa surprise. *Le Jeu du Mensonge ?*

Ces mots tourbillonnaient dans ma tête, faisant remonter des sensations à la surface. Des cris, des rires, des mains plaquées sur des bouches, une chaude boule d'excitation dans mon ventre. Je luttai pour me rappeler plus que ça, mais en vain.

Dans le vestiaire, la fliquette actionna le loquet du compartiment supérieur du casier de Nisha. Charlotte agrippa la main d'Emma.

– Tiens-toi prête.

Lorsque la porte s'ouvrit, quelque chose jaillit du compartiment. Nisha hurla et se couvrit les yeux. Emma se raidit… puis vit que c'était juste un ballon à l'hélium qui s'élevait paresseusement vers le plafond. Il était en forme de banane, avec de gros yeux globuleux et un sourire dément.

– On t'a bien eue, banane ! récita une voix mécanique. Banane ! Banane !

Un message attaché au bout de la ficelle répétait la même chose : « On t'a bien eue ! »

Emma ne put s'empêcher d'éclater de rire. D'accord : ça, c'était drôle.

Nisha s'essuya les yeux. Un petit pli se forma entre ses sourcils. Elle chercha la fliquette du regard, mais l'étudiante de l'Université d'Arizona s'était enfuie avec le couteau « ensanglanté ». Nisha arracha le message de la ficelle du ballon, le froissa et le jeta par terre.

– Banane ! Banane ! répétait le ballon en boucle avec une voix de robot.

Charlotte émergea de leur cachette dans la salle des douches, les talons hauts de ses bottes cliquetant sur le carrelage. Nisha pivota et la foudroya du regard. Elle était violette de rage.

– Je te conseille de ne pas rapporter, lâcha Charlotte sur un ton glacial en agitant l'index. Sinon, il t'arrivera quelque chose d'encore pire !

Plantées un peu en retrait de Charlotte, Madeline et Laurel toisèrent Nisha avec la même expression de dures à cuire. Emma s'élança, dépassant Nisha le plus vite possible.

Une fois dans le couloir, les quatre filles s'adossèrent au mur pour rire tout leur soûl. Madeline agrippa la main de Charlotte. Des larmes coulaient sur les joues de Laurel.

– La tête qu'elle faisait, hoqueta Charlotte, à bout de souffle.

– C'était fabuleux ! s'exclama Madeline.

Laurel enfonça un doigt dans les côtes d'Emma.

– Avoue que ça t'a plu.

Les autres dévisageaient Emma comme si elle était l'autorité suprême, comme s'il lui appartenait de porter un jugement définitif sur leur petite farce.

Sans répondre, Emma regarda par la baie vitrée qui occupait tout le mur d'en face. Un minibus scolaire jaune venait de démarrer. Plusieurs filles en tenue de hockey sur gazon passèrent en gloussant.

Alors, Emma pivota et reporta son attention sur les amies de Sutton. De toute évidence, sa sœur était la meneuse de leur petit groupe.

Charlotte agita une main devant son visage.

– Alors ? A+ ou F– ? demanda-t-elle.

Emma rajusta la bandoulière de son sac sur son épaule et leur adressa un sourire retors.

– A+, parvint-elle à articuler en essayant d'imiter sa jumelle. C'était fantastique.

Les autres eurent un sourire soulagé.

– Je le savais.

Charlotte leva un bras et tapa dans la paume d'Emma. Puis la cloche sonna. Bras dessus, bras dessous, les quatre filles s'éloignèrent dans le couloir. Emma se laissa entraîner par les autres, mais tout son corps frémissait jusqu'à la plus petite cellule.

Le Jeu du Mensonge. Si Sutton et ses amies s'y adonnaient souvent, si elles avaient fait beaucoup de victimes parmi leurs camarades, peut-être avaient-elles fini par pousser le bouchon trop loin. Emma repensa à ce qu'avait dit Charlotte. « Comme si tu n'avais jamais fait pire, Sutton ! » Justement. Et si Sutton avait fait pire – bien pire – et que quelqu'un l'avait tuée à cause de ça ?

J'eus beau me concentrer de toutes mes forces, impossible de voir ce que cette chose horrible pouvait bien être. Pourtant, j'avais le mauvais pressentiment qu'Emma venait de mettre le doigt sur la vérité.

16

Dernier bus pour Las Vegas

Emma se fraya un chemin jusqu'à son casier à travers le couloir grouillant de monde. L'odeur du faux sang lui piquait encore le nez.

Par-dessus son épaule, elle remarqua deux filles qui l'observaient avec un mélange de frayeur et de respect. Elle les entendit clairement chuchoter les mots « Nisha » et « scène de crime ». Debout sur le seuil du bureau des élèves, un type en maillot de foot chantonnait : « On t'a bien eue, banane ! Banane ! Banane ! » La nouvelle s'était-elle propagée si vite ? Leurs camarades connaissaient-ils déjà les moindres détails du mauvais tour joué à Nisha par les amies de Sutton ? Et comment était-il possible que ça les fasse tous marrer ?

– Salut, Sutton, lança une fille sur le passage d'Emma.

Mais au lieu d'un sourire amical, elle arborait un rictus sinistre.

– Comment va, Sutton ? demanda un grand garçon en baggy et chaussures de skate qui sortait d'un labo de sciences.

Ce n'était peut-être que son imagination, mais Emma aurait juré entendre du mépris, voire de la haine dans sa voix. Tous ces gens avaient pu être victimes des mauvais tours de Sutton. N'importe lequel d'entre eux pouvait être son assassin.

Emma tourna dans un couloir d'un pas vif et manqua percuter une grande silhouette qui portait un gobelet de café.

– Ouah, s'exclama le type en posant une main protectrice sur le couvercle.

Emma recula. Ethan se tenait devant elle, vêtu d'un sweat à capuche gris, d'un bermuda kaki de surfeur et de Converse délavées. Son expression maussade s'adoucit quand il la reconnut.

– Oh ! Salut.

– Salut, dit Emma, soulagée de tomber sur un visage amical. (Elle se remit à marcher.) Comment tu vas ? demanda-t-elle sur un ton qui se voulait guilleret.

Mais sa voix tremblait.

– Bien, merci, répondit Ethan en lui emboîtant le pas. Et toi ? Tu fais encore la tête de celle qui a vu le grand méchant loup.

Emma passa une main dans sa nuque. Tout à coup, elle était en sueur, et son cœur battait beaucoup trop vite.

– Je suis juste un peu perturbée, admit-elle.

– Pourquoi ?

Ils tournèrent dans un autre couloir et traversèrent le hall, faisant un écart pour éviter un groupe de jeunes qui se livraient à une démonstration de hip-hop près d'une vitrine où étaient exposées des céramiques.

– Disons que je suis tentée de sécher les cours jusqu'à la fin de l'année pour aller me planquer dans une caverne quelque part.

– C'est à cause de la blague que vous avez faite à Nisha ? s'enquit Ethan. J'ai entendu des filles en parler pendant que je faisais la queue à la cafète. (Il haussa une épaule.) Ça avait l'air un peu cruel, non ?

Emma se laissa tomber sur un banc.

– Oui. Mes amies sont allées trop loin.

Ethan s'assit près d'elle, ramassant un prospectus qui invitait les élèves à acheter dès maintenant leurs places pour le Bal de la Moisson. Il le tordit dans ses mains tandis qu'un sourire sarcastique relevait un coin de sa bouche.

– Mais c'est le but, non ? Tes amies et toi allez toujours trop loin.

Un nœud se forma dans l'estomac d'Emma. Les paroles de Charlotte tournaient dans sa tête comme des vêtements dans un sèche-linge. « Comme si tu n'avais jamais fait pire ! » Était-ce vraiment ainsi que leur jeu fonctionnait ?

Emma déglutit, et son regard légèrement hébété se posa sur le grand panneau d'affichage accroché au mur près de l'auditorium. « IN MEMORIAM », était-il écrit en lettres dorées au-dessus de portraits en noir et blanc, probablement extraits des almanachs scolaires.

Ce sont des élèves morts, réalisa Emma. *Sutton devrait figurer parmi eux.* Elle se demanda si l'assassin de sa sœur passait souvent par là.

Deux garçons chahutaient dans le couloir, leurs pas résonnant sur le sol dur. Emma cligna des yeux. Avant qu'elle puisse ajouter quoi que ce soit, la cloche sonna. Ethan se leva en souriant.

– Si tu en as assez de vos blagues idiotes, tu n'as qu'à dire à tes copines que tu veux arrêter. Ce n'est pas difficile. Et tout le monde te serait reconnaissant. (Il jeta son gobelet vide dans une poubelle.) À plus.

Emma le regarda disparaître dans un couloir. Ses paumes étaient moites. Elle savait qu'elle devait se lever, mais ses jambes refusaient de fonctionner. Depuis le panneau d'affichage, les défunts la regardaient avec un sourire entendu. Soudain, une certitude lui traversa le corps comme une fléchette.

– Je dois ficher le camp d'ici, chuchota-t-elle.

Jamais elle n'avait été aussi sûre de quoi que ce soit dans sa vie. Elle ne savait pas exactement à quoi Sutton était mêlée ni en quoi consistait le Jeu du Mensonge, mais elle sentait que c'était quelque chose d'effrayant et de beaucoup trop dangereux. Assise dans le hall du lycée, elle avait l'impression d'être une cible dans un stand de tir.

Et peut-être, songeai-je en frissonnant, que quelqu'un la tenait déjà dans sa ligne de mire.

Les pneus de la Jetta de Laurel émirent un crissement de protestation lorsque Emma tourna un peu trop vite dans le parking de la gare routière Greyhound de Tucson. La jeune fille freina juste avant de percuter un des parpaings qui délimitaient les emplacements. Elle coupa le contact et jeta un regard méfiant à la ronde.

Il faisait chaud comme dans un four, et des ondulations s'élevaient de l'asphalte brûlant. Deux vieux messieurs assis à l'extérieur du terminal plissèrent les yeux pour détailler Emma. De l'autre côté de la rue, trois étudiants débraillés qui se dirigeaient vers l'*Hôtel Congress* s'arrêtèrent pour la dévisager, eux aussi. Même les mannequins du sex-shop semblaient l'observer. Emma chaussa les grosses lunettes D&G de Sutton, mais rien à faire : elle se sentait toujours exposée.

C'était le milieu de l'après-midi – l'heure où Sutton aurait dû se trouver à l'entraînement avec le reste de l'équipe de tennis. Toute la journée, Emma s'était creusé la tête. Comment quitter la ville, et où aller ? Elle ne voulait pas utiliser les cartes de crédit de Sutton pour financer son évasion – ce serait trop facile de la retrouver.

Puis elle s'était souvenue de la consigne à Las Vegas, celle où elle avait laissé toutes ses économies. Deux mille dollars en liquide, qu'elle avait préféré ne pas emporter à Tucson avec elle. Pour ouvrir le casier, il fallait faire une combinaison. Emma avait choisi la date d'anniversaire de Becky, le 10 mars. Si elle pouvait récupérer son argent, elle aurait de quoi se débrouiller quelque temps. Elle pourrait prendre un bus jusqu'à la côte Est, où personne ne la connaissait. Si elle s'en allait, l'entourage de Sutton réaliserait qu'elle avait disparu et se mettrait sans doute à la chercher.

Et de mon côté, je découvrirais peut-être enfin pourquoi et comment j'étais morte. À moins que... Si Emma s'en allait, partirais-je avec elle ? L'accompagnerais-je dans sa nouvelle vie anonyme à New York ou en Nouvelle-Angleterre ? Continuerais-je à la suivre inlassablement partout où elle irait ? Ou m'évanouirais-je à jamais une fois qu'elle aurait quitté la ville où j'étais morte ? Que deviendrais-je alors ?

Emma avait promptement dérobé les clés de voiture de Laurel dans son casier. *Pardonne-moi, s'il te plaît*, avait-elle imploré en silence tandis qu'elle les sortait du sac de tennis de l'adolescente et les glissait dans sa poche. Moins de cinq minutes plus tard, elle tapait « Gare routière Greyhound » dans le GPS de Laurel et quittait le parking du lycée.

Entrant dans le terminal, Emma alla faire la queue derrière un homme mince avec des lunettes carrées, dont les cheveux se raréfiaient, et une femme frisée qui traînait une énorme valise à roulettes. La guichetière au regard fuyant leva les yeux vers Emma, la fixa un instant et finit d'encaisser un client. Au-dessus de sa tête étaient accrochés les horaires des bus pour Las Vegas. Le prochain partait dans un quart d'heure. Parfait.

L'homme à moitié chauve s'accouda au comptoir en faisant une remarque sur la météo. Un plafonnier émettait un sifflement aigu. À chaque rafale de vent, la porte s'ouvrait et se refermait, faisant sursauter Emma. Les poils sur ses bras se hérissèrent. Si seulement la file avançait plus vite !

Une chanson des Paramore s'éleva soudain de son sac. L'iPhone de Sutton sonnait. Emma le sortit et vit le nom de Laurel sur l'écran. Elle envoya directement l'appel sur messagerie. Mais Laurel rappela aussitôt. Une nouvelle fois, Emma coupa le sifflet aux Paramore. Pourquoi Laurel n'était-elle pas à l'entraînement ? Emma pensait avoir au moins une heure devant elle avant que la sœur de Sutton constate la disparition de sa voiture.

Quelques instants plus tard, un texto apparut dans la boîte de réception. Elle l'ouvrit. *911,* avait écrit Laurel. *C'est toi qui as pris ma caisse ? Tu vas bien ? Si tu ne me rappelles pas d'ici 5 min, je déclenche les recherches.*

La femme frisée qui précédait Emma dans la file la dévisagea avec curiosité tandis que l'employée se léchait un doigt pour compter une liasse de billets. Emma tenta de ravaler la boule qui s'était formée dans sa gorge. Tout à coup, son plan lui paraissait débile. Laurel devait déjà être en train de paniquer au sujet de sa voiture.

Et même si Emma parvenait à prendre le bus pour Las Vegas, la police ne tarderait pas à retrouver la Jetta dans le parking de la gare routière. Tout le monde supposerait que Sutton avait fugué. L'employée au regard torve identifierait Emma comme la fille qui lui avait acheté un ticket pour Las Vegas, et... les flics rechercheraient Emma là-bas plutôt que le corps de Sutton à Tucson.

Laurel rappela à l'instant où Emma sortait de la file. Emma appuya sur le bouton vert pour répondre.

– Te voilà enfin, espèce de chieuse, dit Laurel sur un ton agacé. (Sa voix résonnait comme si elle avait mis son téléphone sur haut-parleur.) C'est toi qui as volé ma caisse ?

— Décide-toi à aller chercher la tienne à la fourrière ! s'exclama Charlotte en fond sonore. On se cotisera pour t'aider à payer l'amende !

— Je suis désolée, bredouilla Emma. Je... j'avais quelque chose à faire. Quelque chose d'important.

Elle se dirigea vers la baie vitrée et regarda les mannequins dans la vitrine du sex-shop, de l'autre côté de la rue. Que pouvait-il bien y avoir d'important à faire dans les parages ? Acheter des sex-toys ? Assister à un concert emo à l'*Hôtel Congress* ?

— Je ramène Laurel chez vous après le tennis, ne t'en fais pas pour ça, ajouta Charlotte. Mais débrouille-toi pour avoir terminé ce que tu es en train de faire avant le début de ma soirée pyjama, d'accord ? Le comité directeur doit être au complet.

— Tu oublies Lili et Gaby, intervint Laurel.

— Ouais, mais elles ne comptent pas, répliqua Charlotte.

Les haut-parleurs du terminal crépitèrent, faisant sursauter Emma.

— Attention. Quai 3, départ imminent du Greyhound 459 pour Las Vegas, récita l'employée d'une voix nasillarde et monotone. Embarquement immédiat pour Las Vegas.

Emma voulut recouvrir l'iPhone de sa main, mais trop tard. Il y eut une pause à l'autre bout de la ligne.

— Ils ont bien dit « Greyhound » ? demanda Laurel, perplexe.

— Tu vas à Las Vegas ? interrogea Charlotte

Emma poussa la porte grinçante du terminal et, craignant que l'employée ne répète son annonce, se dirigea d'un pas rapide vers la Jetta de Laurel.

– Je passais juste devant la gare routière, balbutia-t-elle. Ma vitre est baissée. Mais je rentre tout de suite, d'accord ?

Le revêtement des sièges brûla ses épaules et l'arrière de ses jambes quand elle s'assit derrière le volant et raccrocha. D'une main tremblante, Emma mit le contact. Un moteur gronda tout près, et elle leva les yeux. Un bus ronronnait sous une porte cochère. Derrière son pare-brise, une grosse pancarte indiquait qu'il se rendait à Las Vegas. Des gens enfournaient leurs bagages dans la soute avant de monter à bord.

Puis il y eut un léger cliquetis. Emma se raidit et se retourna. Ses oreilles la brûlaient comme si quelqu'un l'observait. Elle promena un regard à la ronde. Les vieux messieurs n'étaient plus sur leur banc.

Dans la rue, les voitures avançaient à une allure d'escargot. Une Prius vert fluo marquée « TAXI DISCOUNT » klaxonna. Derrière elle attendaient une trois-portes rouge au pare-chocs abîmé et un pick-up noir dont le conducteur faisait gronder son moteur impatiemment. Ils étaient tous bloqués par une Mercedes argentée qui longeait la gare routière au pas. Son ornement de capot étincelait au soleil. À travers les vitres teintées, Emma distingua une silhouette qui regardait quelque chose dans le parking de la gare routière. Non, pas quelque chose, quelqu'un : elle

Je plissai les yeux sans réussir à voir son visage.

Le taxi vert fluo klaxonna une nouvelle fois. Le conducteur de la Mercedes reporta son attention sur la route et accéléra. Emma suivit sa voiture des yeux jusqu'à ce qu'elle ait disparu de l'autre côté de la colline. Alors seulement, elle s'autorisa à relâcher sa respiration. Mais elle avait bien raison de s'inquiéter.

Apparemment, mon assassin surveillait le moindre de ses gestes.

17

JAMAIS AU GRAND JAMAIS

Plus tard ce jour-là, Laurel conduisait d'une main tout en tortillant ses longs cheveux blonds à la base de son cou, comme pour en faire un chignon. Elle guidait sa Jetta le long de la route abrupte et sinueuse qui montait vers la maison des Chamberlain, nichée à mi-hauteur d'une montagne parmi les roches recuites par le soleil du désert.

Emma embrassa la propriété du regard tandis que Laurel appuyait sur le bouton de l'interphone à l'extérieur du portail et attendait qu'on lui réponde. Quelques secondes plus tard, une voix s'éleva du haut-parleur.

– C'est Sutton et Laurel ! claironna cette dernière.

Un pêne cliqueta. Le portail s'ouvrit lentement, révélant une allée pavée d'ardoises encadrée par une pelouse verdoyante. Des cactus saguaro, des trompettes d'or en fleurs et des plants de créosote se dressaient dans l'herbe drue. Au milieu de l'allée circulaire, des chérubins de pierre batifolaient nus dans une fontaine.

La maison découpait sa silhouette massive un peu plus loin. C'était une bâtisse dotée de nombreuses verrières et de fenêtres qui s'étendaient du sol au plafond. Une cloche en laiton était suspendue au-dessus de l'énorme porte d'entrée. Sur la gauche, plusieurs chevaux passaient derrière une barrière en rondins, et une Porsche argentée étincelante était garée devant un garage cinq places.

Laurel jeta un coup d'œil à Emma tout en s'arrêtant au bout de la longue allée circulaire.

— Merci de, euh, de ne pas avoir râlé parce que je venais ce soir.

Emma écarta les cheveux qui lui tombaient devant la figure.

— Pas de problème.

Laurel se pencha sur le volant. Ses cils étaient presque noirs, remarqua Emma.

— Je te trouve un peu... différente depuis quelques jours. Tu fais un nouveau régime, ou quoi ?

— Je ne suis pas différente, se récria très vite Emma.

— Attention, je ne me plains pas. (Laurel retira les clés du contact.) Sauf quand tu piques ma bagnole. Ou que tu te barres du lycée le matin de la rentrée. (Elle eut un sourire grimaçant.) D'accord, et en deux ou trois autres occasions aussi.

— J'aime être imprévisible, marmonna Emma en baissant la tête.

Même si elle ne voulait pas que Laurel lui fasse la leçon, elle se réjouissait secrètement que la sœur de Sutton ait remarqué une différence.

Les deux filles se dirigèrent vers la porte d'entrée et sonnèrent. Deux coups de gong, graves et prolongés, firent vibrer le battant, et une jeune femme au sourire éclatant vint leur ouvrir.

Elle portait un jean gris ultra-skinny qui ne laissait rien à l'imagination, un long T-shirt rayé qu'Emma avait vu dans la vitrine d'Urban Outfitters, et des escarpins argentés ouverts au bout. Des Wayfarer blanches étaient perchées sur sa tête, et des diamants gros comme des pois chiches brillaient à ses oreilles. Elle avait une peau dorée dépourvue de la moindre ride, des cheveux couleur de miel et des yeux turquoise comme la mer des Caraïbes.

Emma jeta un coup d'œil à Laurel, se demandant qui était l'inconnue. La sœur aînée étudiante de Charlotte, sans doute. La rentrée universitaire n'avait pas encore eu lieu.

– Salut, Sutton, lança la jeune femme. Salut, Laurel. (D'un air approbateur, elle détailla le cabas rayé Madewell dans lequel cette dernière avait apporté ses affaires pour la nuit.) J'adore ton sac, la complimenta-t-elle.

– Merci, madame Chamberlain, pépia Laurel.

Emma faillit en avaler son chewing-gum. *Madame* Chamberlain ?

Moi aussi, j'étais passablement stupéfaite. Je ne me souvenais pas du tout de cette femme.

– Les filles ! appela Charlotte depuis le palier de l'étage.

Emma et Laurel prirent congé de leur hôtesse avec un sourire. Mme Chamberlain les regardait presque comme si elle attendait d'être invitée à monter pour se joindre à elles. Lui tournant le dos, elles gravirent le double escalier aux murs ornés de tableaux – des barbouillages colorés style Jackson Pollock.

Charlotte poussa la double porte d'une chambre deux fois plus grande que celle de Sutton, et un milliard de fois plus grande que toutes celles où Emma avait jamais vécu. Madeline et les Jumelles Twitteuses étaient déjà assises en tailleur sur un tapis rayé au milieu de la pièce, grignotant des bretzels et sirotant des Coca zéro.

– On vient juste de raconter à Lili et à Gaby le tour qu'on a joué ce matin à Nisha, expliqua Madeline en remontant le col de son T-shirt qui lui découvrait une épaule – et la moitié de son soutien-gorge.

– Même si on en avait déjà entendu parler, évidemment, précisa Lili en chassant un mouton d'une de ses mitaines à la Avril Lavigne.

– Un jour, peut-être que vous nous laisserez vous donner un coup de main, ajouta Gaby en rajustant le bandeau en gros-grain qui retenait ses longs cheveux blonds. On a des tonnes d'idées mortelles.

Charlotte s'assit près d'elles et prit une poignée de bretzels dans le saladier.

– Désolée. Le Jeu du Mensonge est réservé à quatre membres. Pas vrai, Sutton ?

De nouveau, elle consultait Emma comme si le dernier mot lui appartenait. Un frisson parcourut l'échine de la jeune fille.

– Tout à fait, finit-elle par acquiescer.

Gaby grimaça.

– Donc, on peut faire partie du club quand c'est à nos dépens, mais pas l'inverse ?

Elle donna un coup de coude à Lili, qui hocha la tête vigoureusement. Leurs yeux flamboyèrent.

Il y eut un long silence. Madeline et Charlotte échangèrent un regard.

– C'était particulier.

– Ouais, très particulier.

Charlotte pivota et fixa Emma d'un air entendu. Cette dernière tripota la bride d'une de ses chaussures en se demandant de quoi elles pouvaient bien parler.

Puis Charlotte se racla la gorge, brisant la tension ambiante.

– Quoi qu'il en soit... Je connais un jeu auquel on peut toutes participer. (Elle se releva et, d'un geste théâtral, ouvrit la double porte en bois d'une grande penderie située au fond de la pièce.) Puisque tout le monde est là, on peut commencer.

Elle saisit quelque chose sur une étagère, se retourna en le planquant dans son dos et le brandit soudain triomphalement. C'était une bouteille d'Absolut citron.

– Ta-taaaaa ! La rentrée ne serait pas complète sans une bonne partie de « Jamais Au Grand Jamais ». (Elle versa le liquide transparent dans des verres ronds qu'elle fit passer à ses amies.) Petit rappel des règles. Vous dites quelque chose que vous n'avez jamais fait de votre vie. Par exemple, jamais au grand jamais je n'ai embrassé M. Howe avec la langue.

– Huuuu ! glapit Lili.

195

– Et toutes celles qui ont embrassé M. Howe avec la langue doivent boire, conclut Charlotte.

– Mais ça doit être des trucs possibles, précisa Madeline en levant les yeux au ciel. Pas des trucs qu'aucune d'entre nous ne ferait jamais.

– Sutton serait capable d'embrasser M. Howe, gloussa Charlotte en jetant un coup d'œil à Sutton. On ne sait jamais.

Toutes les filles pouffèrent nerveusement.

– Je commence, offrit Madeline. (Elle promena un regard à la ronde.) Jamais au grand jamais je n'ai... séché les cours quatre jours d'affilée.

Elle s'assit sur ses talons sans boire. Gabriella et Lilianna gardèrent leur verre sur leurs genoux. Emma ne bougea pas non plus, mais Madeline lui donna une pichenette.

– Euh, excuse-moi, mais et la fois où tu t'es barrée à San Diego pour un week-end prolongé ?

Charlotte se mit à rire.

– Un week-end extrêmement prolongé. J'ai cru que tu étais morte ! (Du menton, elle désigna le verre d'Emma.) Et glou et glou !

Emma n'eut pas d'autre choix que de boire une gorgée. Elle eut l'impression d'avoir biberonné un pistolet à essence et mangé un citron légèrement pourri en même temps.

Charlotte fut la suivante. Elle pianota avec ses ongles sur le bord de son verre en réfléchissant.

– Voyons... jamais au grand jamais je n'ai... piqué le petit ami d'une autre fille.

Une fois de plus, personne ne réagit. Madeline jeta un coup d'œil à Laurel. Charlotte planta son regard dans celui d'Emma et se racla la gorge. Soudain, Emma réalisa où elle voulait en venir. D'un geste hésitant, elle porta son verre à sa bouche.

– Très bien, dit Charlotte tout bas.

Emma se mordit l'intérieur de la joue. Qui eût cru qu'un jeu à boire se révélerait une telle mine d'informations sur sa sœur ?

J'observais la scène, fascinée. En deux minutes, je venais d'apprendre tant de choses sur mon passé. J'aurais voulu qu'elles continuent toute la nuit.

– Jamais au grand jamais je ne me suis baignée nue dans un bassin chaud, déclara Laurel son tour venu.

Tout le monde but, à l'exception d'elle et de Charlotte. Imaginant que sa sœur était bien du genre à faire un truc pareil, Emma avala une autre gorgée de vodka.

– Jamais au grand jamais je n'ai triché à une interro, annonça Charlotte.

Apparemment, tel n'était pas le cas de Madeline et de Lili.

– Que ferions-nous sans toi, Char ? lança Madeline sur un ton acide.

Emma supposa qu'elle devait boire aussi.

– Jamais au grand jamais je n'ai écrit une fausse lettre d'amour au proviseur Larson, dit ensuite Gabriella.

Charlotte et Madeline regardèrent Emma en riant sous cape. Et une gorgée de plus ! À présent, Emma n'avait plus de haut-le-cœur chaque fois qu'elle avalait ; elle commençait à s'habituer au goût de la vodka. Ses membres se détendirent, tout comme ses mâchoires crispées jusque-là.

Laurel se porta volontaire pour passer la suivante.

– Jamais au grand jamais je ne me suis fait peloter par un type de la fac.

Elle se pencha en avant pour observer les autres. Avec un sourire en coin, Madeline tendit un doigt vers Emma.

– Tu te souviens de ce garçon, au Plush ? Tu croyais qu'il avait notre âge, mais en fait, il avait vingt-deux ans ?

– Ouah ! s'exclamèrent les Jumelles Twitteuses en chœur, impressionnées.

Charlotte haussa un sourcil.

– C'était quand ?

Madeline réfléchit.

– En juillet ? hasarda-t-elle.

Le bout du nez de Charlotte vira au rouge.

– Et qu'en a pensé Garrett ?

Madeline pressa une main sur sa bouche. Gabriella toussa. Emma fit rouler son verre entre ses paumes. *Génial. Non seulement Sutton pique les copains de ses amies, mais elle les trompe par-dessus le marché !*

Je cherchai une explication dans ma mémoire, mais une fois de plus, je ne trouvais rien. J'avais trompé Garrett ? Pourquoi aurais-je fait une chose pareille ?

– Peut-être que je me trompe sur la date, balbutia Madeline. Ça devait être avant que Sutton commence à sortir avec Garrett.

– Bien sûr que c'était avant, dit très vite Emma, qui espérait que c'était vrai mais en doutait fort.

Charlotte tripota son iPhone sans rien ajouter.

Puis ce fut le tour d'Emma. Elle dévisagea tour à tour chacune des amies de Sutton. Toutes penchaient légèrement la tête sur le côté. Madeline arborait un sourire béat. La pièce commençait à empester l'alcool.

– D'accord, dit-elle en prenant une grande inspiration et en cherchant comment formuler la question dont elle voulait absolument connaître la réponse. Jamais au grand jamais je n'ai... joué un mauvais tour à quelqu'un dans le cadre du Jeu du Mensonge.

Les Jumelles Twitteuses échangèrent un coup d'œil amer, mais les trois autres levèrent les yeux au ciel.

– N'importe quoi, grogna Charlotte en portant son verre à sa bouche. Et Nisha, ce matin ?

– Je parlais d'autres blagues que celle-là, rectifia Emma. Le genre de blague vraiment horrible que tu regrettes après l'avoir faite.

Le genre de blague qui pourrait pousser la victime à se venger, aurait-elle voulu ajouter. *Le genre de blague qui inciterait quelqu'un à traîner Sutton dans un champ pour l'étrangler.*

Les membres du Jeu du Mensonge hésitèrent, désarçonnées. Bien entendu, Gabriella et Lilianna s'abstinrent, mais Laurel saisit son verre, jeta un coup d'œil nerveux à Emma et but d'un air coupable. L'instant d'après, Charlotte et Madeline firent de même. Du menton, Charlotte désigna le verre d'Emma.

– Tu ne crois pas que tu devrais boire aussi ?

Emma engloutit le reste de la vodka, qui lui brûla la gorge au passage. Si elle avalait une allumette, elle exploserait probablement.

— Pour être franche, je pensais que ce serait toi qui ferais la première blague de l'année, avoua Charlotte en resservant tout le monde. Qu'est devenue cette idée géniale avec laquelle tu nous as bassinées tout l'été ? La blague ultime ?

— Ouais, acquiesça Madeline en levant son verre d'un geste maladroit, si bien qu'un peu de liquide passa par-dessus bord. Tu disais que ce serait énorme. Je suis au taquet depuis des semaines.

Un goût amer remplit la bouche d'Emma. Donc, le Jeu du Mensonge ne visait pas que leurs camarades. Les filles se jouaient également des tours entre elles.

Emma pensa à la vidéo de strangulation. Elle revit Sutton s'affaisser après que son collier lui eut coupé la respiration, et rester immobile jusqu'à ce que quelqu'un lui enlève son bandeau pour voir comment elle allait. Et si elle n'avait pas réellement suffoqué ? Jusqu'où aurait-elle été pour faire peur à ses amies ?

Soudain, telle une rangée de dominos qui s'écroulent, les synapses d'Emma se mirent à faire des connexions en chaîne. Elle revit le message que Laurel avait trouvé sur son pare-brise, le téléphone et le portefeuille de Sutton posés bien en évidence sur son bureau – il ne manquait plus qu'une lumière rouge clignotante pour qu'Emma ne risque pas de les louper. Et son propre portefeuille qui avait disparu, de sorte qu'elle n'avait plus de pièce d'identité et aucun moyen de prouver qui elle était vraiment…

Son cœur s'emballa. *Oh, mon Dieu*, songea-t-elle. Et si la blague ultime était justement en cours ? Et si elle en était la victime ?

Son estomac se souleva. Bondissant sur ses pieds, Emma se précipita vers la porte la plus proche et l'ouvrit à la volée. De l'autre côté, elle ne trouva qu'un mur entier de chaussures et de sacs à main. Elle referma et se précipita dans la direction opposée.

Charlotte se leva, la prit par les épaules et la fit pivoter vers la gauche.

– La salle de bains est par là, ma chérie. (Elle la poussa vers une porte blanche de l'autre côté de la pièce.) Ne vomis pas dans la baignoire, comme la dernière fois !

– Ça mérite un tweet, gloussa Gabriella. Je fais ça tout de suite.

– Non, moi, geignit Lilianna.

Emma tituba à l'intérieur de la salle de bains et claqua la porte derrière elle. Elle s'appuya sur l'immense lavabo en marbre pour ne pas s'écrouler sous le poids de la révélation qu'elle venait d'avoir. Sutton n'était pas morte du tout. Elle avait tout manigancé. D'une façon ou d'une autre, elle avait découvert l'existence d'Emma et posé cette vidéo de strangulation le temps que sa jumelle la trouve. Elle l'avait fait venir à Sabino Canyon, sachant très bien que Madeline la verrait en se rendant à la soirée de Nisha. Sutton avait trompé toutes ses amies en leur faisant croire qu'Emma était elle, et elle avait trompé Emma en lui faisant croire qu'on l'avait assassinée.

Les soupçons d'Emma et les miens se télescopèrent. Étais-je au courant de son existence avant de mourir ? M'étais-je débrouillée pour l'attirer à Tucson avant de succomber à ma propre plaisanterie de mauvais goût ? La fille que j'avais découverte ce soir, cette Sutton que les autres connaissaient si bien, en aurait parfaitement été capable. Mais tandis que je fouillais mes vagues souvenirs et regardais Emma en me désolant de ne pas pouvoir l'aider, je me rendis compte que je n'y croyais pas. Ou que je ne voulais pas y croire.

Emma attrapa un rouleau de papier toilette neuf sur une étagère et le projeta à travers la pièce. Il rebondit sur le mur carrelé et tomba dans la baignoire.

La salle de bains était immense, avec un mini-sauna et une coiffeuse contenant assez de produits de beauté pour fournir un Sephora. Des photos de Charlotte et du reste de la bande tapissaient les murs ; certaines étaient encadrées, d'autres juste punaisées ou coincées dans le cadre du miroir. Au-dessus des toilettes, Madeline se tenait en cinquième position de danse classique. Un Garrett torse nu arborait un large sourire près de la cabine de douche.

La plupart des clichés montraient Sutton qui souriait, ricanait ou soufflait des baisers depuis tous les angles possibles. Elle faisait la révérence ou s'esclaffait, tournait sur elle-même les bras étendus, ou prenait la pose comme dans les pages de *Vogue*, son médaillon en argent disparu autour du cou.

Emma ne supportait plus de la voir. Elle foudroya du regard la photo la plus proche d'elle, qui avait été prise sur le vif et montrait Sutton, Charlotte et Madeline devant un In-N-Out Burger, en train d'enfourner des Double-doubles entiers. Impulsivement, elle saisit un crayon de khôl posé près du lavabo et dessina un groin de cochon à Sutton. Après un instant de réflexion, elle ajouta des cornes et une queue de diable. *Là*. Elle se sentait déjà un peu mieux.

Emma entendit les autres filles glousser dans la chambre voisine. Elle se redressa, scruta son expression d'animal sauvage acculé dans le miroir et s'aspergea la figure d'eau froide. Il ne lui restait qu'une seule option : faire capoter la blague idiote de Sutton avant que celle-ci puisse jaillir de sa cachette en hurlant : « Je t'ai eue ! » Il était hors de question qu'elle la laisse gagner.

— Emma...

Comme j'aurais voulu qu'elle voie mon corps scintillant et comprenne qu'il ne s'agissait pas d'une farce ! Que j'étais bel et bien morte. C'était une chose qu'elle lève les yeux au ciel en découvrant comment je vivais et me conduisais, mais je ne voulais pas qu'elle me prenne pour le genre de personne capable d'utiliser ainsi sa jumelle perdue à la naissance. Je ne voulais pas *être* ce genre de personne.

Soudain, toutes les ampoules basse tension du plafond s'éteignirent en même temps.

— Houhou ? lança Emma.

Elle tâtonna en quête de la poignée de porte mais ne la trouva pas. Son pied heurta la poubelle métallique avec un *clang* sonore. Quelque chose tomba par terre dans la chambre voisine. Charlotte hurla.

— Sutton, c'est toi qui as fait ça ? appela Laurel.

Une alarme résonna au rez-de-chaussée. Il y eut un bruit de pas, puis une sirène. Emma se mit à trembler.

Soudain, l'obscurité fit rejaillir quelque chose dans mon esprit. Des taches dansèrent devant mes yeux. J'entendis un souffle pareil à celui d'une bourrasque. Et je me retrouvai dans la crique asséchée derrière les bassins chauds, une main plaquée sur mes yeux et un couteau pressé contre ma gorge.

– Si tu cries, tu es morte.

Alors, je vis ce qui s'était passé ensuite...

18

RIRA BIEN QUI RIRA LE DERNIER

— *Si tu cries, tu es morte*, siffle la voix à mon oreille.

Le couteau appuie toujours sur ma gorge. Quelqu'un me tient les bras dans le dos et noue un foulard sur mes yeux, si serré que le tissu me comprime les paupières. Puis il me bâillonne étroitement. Une main me pousse en avant. Du gravier et du sable crissent sous mes pieds ; des broussailles m'égratignent les mollets. J'entends des pas près de moi, le tintement d'un trousseau de clés.

On me fait gravir une butte. Mon gros orteil heurte une pierre saillante, et un éclair de douleur glacée remonte le long de ma colonne vertébrale. Je crie, mais quelqu'un me pince le bras par-derrière.

— *Qu'est-ce que tu n'as pas compris dans « Si tu cries, tu es morte »* ?

La lame s'enfonce davantage dans ma peau.

Au bout d'une minute, nous nous arrêtons brusquement. Un bip aigu signale le déverrouillage d'une voiture. J'entends le sifflement hydraulique d'un coffre qui s'ouvre tout grand.

– Grimpe là-dedans.

Quelqu'un me pousse, et je bascule en avant. Ma joue s'écrase sur ce qui ressemble à une roue de secours. Je plie maladroitement les jambes pour rentrer dans l'espace exigu. Puis le coffre se referme avec un bruit sourd, et le silence revient.

Je souris par-devers moi dans l'obscurité. Que la nouvelle manche du Jeu du Mensonge commence !

Mes amies ont réussi à me faire marcher pendant quelques minutes, mais pas plus. J'ai hâte qu'elles rouvrent le coffre et essaient de prendre une photo de moi terrorisée. Au lieu de ça, je crierai « Trop nul ! », et c'est moi qui leur ferai peur. Je leur dirai : « Franchement, vous auriez pu faire plus original. » « Si tu cries, tu es morte », c'est ma réplique, celle que j'ai balancée à Madeline au printemps dernier quand je me suis introduite dans sa chambre en pleine nuit et que j'ai fait semblant d'être un cambrioleur. C'est probablement cette copieuse de Laurel qui l'a réutilisée.

Elles vont me le payer, de préférence sous la forme d'un massage de deux heures et demie à La Paloma dès demain. Il faudra au moins ça pour faire disparaître les crampes que j'aurai chopées dans ce foutu coffre.

Puis le moteur gronde. La voiture recule et tourne vers la droite, me faisant glisser dans une position encore plus inconfortable, comme si je jouais au Twister. Je fronce les sourcils. On va quelque part ? Quel intérêt ?

Je glisse de nouveau quand la voiture accélère et me cogne le genou contre l'intérieur du capot. Je pousse un gémissement de protestation à travers mon bâillon. Elles pourraient faire plus attention ! Si elles continuent comme ça, je resterai sur le banc de touche pendant tous les matchs jusqu'à la fin de l'année !

Je remue les mains, histoire de voir si j'arrive à les bouger suffisamment pour ôter le foulard de mes yeux, mais la personne qui m'a attachée a dû suivre un cours de nœuds marins niveau 10. Là encore, c'est sans doute Laurel. Thayer a dû lui apprendre. Ils aimaient bien les trucs de survie genre boy-scouts, tous les deux.

Un crissement de gravier sous les pneus de la voiture cède la place au son uniforme d'un revêtement de goudron lisse. L'autoroute. Où allons-nous ? Je tends l'oreille pour espionner d'éventuelles conversations, mais personne ne pipe mot dans l'habitacle. Je n'entends ni radio, ni gloussements hystériques, pas même un léger murmure. J'essaie de bouger mon genou, mais il est coincé contre la roue de secours.

— Mmmmmh ! Mmmmmh ! fais-je de plus en plus fort.

Je rue contre la paroi moquettée sur laquelle s'appuie la banquette arrière. Avec un peu de chance, quelqu'un recevra mes coups de pied dans le dos.

La voiture ne s'arrête pas. Elle continue à filer sur l'asphalte avec un chuintement monotone. Mon bâillon me meurtrit les joues. Je commence à perdre toute sensation dans mes doigts. Je m'agite de plus belle, mais sans résultat. La voiture roule toujours.

C'est alors qu'une pensée effrayante me traverse l'esprit. Et si ce n'était pas une blague ? Si j'avais été enlevée pour de bon ?

Mon amusement s'évanouit, remplacé par une peur brûlante. Je hurle aussi fort que je peux. Je tire sur la corde qui ligote mes poignets, et les fibres rugueuses m'irritent la peau. Mes amies et moi, on se fait des trucs assez dingues, mais on sait quand s'arrêter. On n'envoie jamais nos victimes à l'hôpital. On ne blesse jamais personne — du moins, pas physiquement.

Je repense à la voix dans mon oreille. On aurait dit celle de Charlotte essayant d'imiter un baryton... mais peut-être me suis-je trompée. Je me tortille de mon mieux et commence à donner des coups de pied dans le haut du coffre, espérant qu'il s'ouvrira. Je m'acharne tant et si bien que j'en perds mes claquettes de piscine.

J'ai l'impression que nous sommes très loin de notre point de départ à présent — dans le désert, peut-être. Personne ne saura où me trouver. Personne ne saura même où chercher. Je crie de plus belle.

— Mmmmh ! Mmmmh !

Enfin, la voiture s'immobilise. Projetée vers l'avant, je me cogne le menton contre la paroi intérieure. Une portière claque. Des pas contournent la voiture. Je me fige, les yeux pleins de larmes brûlantes.

Avec un nouveau bip aigu, le coffre se rouvre. Je roule sur le dos en essayant d'y voir à travers mon bandeau. C'est à peine si je distingue le halo d'un lampadaire au-dessus de moi, et un trait jaunâtre quand une autre voiture aux phares allumés nous dépasse sur la gauche.

Une silhouette aux larges épaules me toise, découpée par la lumière du lampadaire. Il me semble qu'elle a les cheveux roux foncé, mais c'est difficile d'en juger à travers le tissu qui me couvre les yeux. Je crie désespérément :

— Mmmmh !

Puis tout redevient noir.

19

METTRE LES VOILES
N'EST PAS UNE OPTION

De retour dans la salle de bains de Charlotte, je regardai Emma tâtonner dans le noir. Après le souvenir que je venais de revivre, je dois admettre que j'étais un peu soulagée. Quoi qu'il puisse se passer, ce n'était pas une blague orchestrée par moi-même qui avait dérapé.

Ce n'était pas moi qui avais attiré Emma ici. Je n'avais pas joué avec ses émotions juste pour le plaisir de damer le pion à mes amies. Du coup, je me sentais mieux. J'avais visiblement beaucoup de défauts ; du moins n'avais-je pas utilisé ma jumelle perdue à la naissance comme un Kleenex dont on se débarrasse après s'en être servi pour éliminer son excédent de rouge à lèvres avant de sortir.

Emma réussit enfin à trouver la poignée. Elle la tourna et ressortit dans la chambre de Charlotte. Cinq écrans de téléphones portables brillaient en cercle sur le tapis, projetant des ombres lugubres sur le visage des filles.

– Que se passe-t-il ? chuchota Emma.

– Coupure de courant, répondit Charlotte sur un ton agacé en sirotant ce qui restait dans son verre.

Quelqu'un frappa à la porte ; les filles sursautèrent et poussèrent de petits cris apeurés. Charlotte fourra très vite la bouteille de vodka et les verres sous le lit. Un instant plus tard, Mme Chamberlain braqua le faisceau d'une lampe-torche à l'intérieur de la chambre.

– Tout va bien, les filles ?

– Est-ce que le courant a sauté aussi chez les voisins ? demanda Charlotte.

Emma remarqua qu'elle articulait soigneusement, ce qui lui donnait l'air encore plus soûle.

Mme Chamberlain se dirigea vers la fenêtre et regarda dehors. Une lumière dorée se déversait par les baies vitrées de la maison la plus proche.

– On dirait que non. Bizarre, hein ?

Emma se dandina d'un pied sur l'autre. *Carrément.*

– Mais ne vous inquiétez pas, ajouta Mme Chamberlain. Ce n'est qu'une panne d'électricité. Si vous allumez des bougies, n'oubliez pas de les éteindre avant de vous coucher.

Elle sortit en refermant la porte derrière elle. Les filles se retournèrent les unes vers les autres et, les yeux écarquillés, échangèrent des regards effrayés.

Soudain, il y eut un bourdonnement, et les lumières se rallumèrent. Les enceintes qui diffusaient une liste de lecture aléatoire iPod juste avant la panne se remirent à hurler, faisant sursauter tout le monde. Dans un coin de la chambre, l'imprimante de Charlotte se mit à chauffer en ronronnant.

Les filles se frottèrent les yeux. L'instant d'après, les Jumelles Twitteuses ramassèrent leurs téléphones d'un même geste et se mirent à taper frénétiquement. Charlotte plongea une main dans le saladier posé au milieu du tapis et prit une grosse poignée de bretzels.

— D'accord, Sutton, explique-nous comment tu as fait.

— Fait quoi ? (Emma cligna des yeux. Les autres la dévisageaient durement. Tout à coup, elle réalisa et couina :) Ce n'est pas moi qui ai coupé le courant !

— C'est cela, oui. (Madeline se vautra sur un gros traversin rayé.) Mais tu as bien calculé ton coup, je l'admets. Juste au moment où on t'accusait d'avoir perdu la main, tu déclenches une panne d'électricité. Je ne comprends vraiment pas comment tu t'y es prise.

— C'est une sorcière, tu le sais bien, répliqua sèchement Charlotte. Balai, chaudron et tout le toutim.

— Ce n'est pas moi, protesta Emma. Je le jure !

— Croix de bois, croix de fer ? insista Madeline.

Emma hésita. Madeline avait posé la question très vite et sur un ton chantant, comme si elle récitait une incantation.

— Oui, répondit-elle. Absolument.

213

Puis elle se souvint de ce à quoi elle pensait dans la salle de bains quand les lumières s'étaient éteintes. Il était possible que sa sœur soit tout près. Autrement dit, toute cette folie devait prendre fin au plus vite.

L'animosité qui avait envahi ses veines céda instantanément la place à de l'excitation. Allait-elle enfin rencontrer Sutton, sa jumelle maléfique et farceuse ? Serait-elle assez forte pour lui tenir tête ? Réussirait-elle à lui passer un savon : « On ne manipule pas les gens ainsi juste pour s'amuser ! » ? Ou craquerait-elle dès qu'elle la verrait, trop soulagée que Sutton ne soit pas morte, trop contente d'avoir enfin une famille ?

Emma jeta un coup d'œil par la fenêtre. Le jardin derrière la maison des Chamberlain était désert. L'eau d'une piscine scintillait doucement dans le noir ; des lampes solaires brillaient au bord de l'allée.

Discrètement, Emma souleva le couvre-lit de Charlotte du bout du pied. Mais dessous, elle n'aperçut qu'un vieux numéro de *Vogue* et un portrait de Garrett en tenue de foot, un ballon sous le bras. Elle regarda dans la salle de bains, pensant que Sutton allait peut-être jaillir du sauna, un grand sourire aux lèvres. Mais de sa jumelle, il n'y avait là que les nombreuses versions sur papier glacé accrochées aux murs.

Les filles convinrent toutes qu'elles étaient trop éméchées pour continuer à jouer à « Jamais Au Grand Jamais ». Charlotte remplit à nouveau le saladier de bretzels et introduisit la première saison de l'émission de téléréalité *Laguna Beach* dans le lecteur de DVD. Les filles s'installèrent sur le canapé, dans leur sac de couchage ou sur le lit de Charlotte. C'était comme si la panne d'électricité avait eu un effet sédatif sur tout le monde, Emma exceptée.

Cette dernière se sentait mieux réveillée et plus alerte que jamais. *Sutton est-elle dans la maison ? Tout près de nous ?* À chaque bruit, à chaque mouvement, elle jetait un coup d'œil vers la porte, certaine que sa jumelle allait faire irruption dans la pièce.

Elle en était si convaincue que je m'y attendais presque moi-même.

L'une après l'autre, les têtes des filles roulèrent sur le côté, et leurs yeux se fermèrent. Charlotte se pelotonna sous sa couette. Madeline se mit à ronfler doucement sur le lit gigogne. Lilianna s'enfonça dans son sac de couchage noir tandis que Gabriella faisait de même dans un sac de couchage rose. Laurel s'était roulée en boule sur le canapé près d'Emma ; de temps en temps, un léger spasme agitait ses doigts dans son sommeil.

Emma regarda le DVD jusqu'à ce que le dernier épisode soit fini et que le générique défile à l'écran. Elle ferma les yeux mais ne parvint pas à s'endormir. *Allez, Sutton, montre-toi !*

Que deviendrait-elle après le retour de sa sœur ? Une fois de plus, elle s'imagina leur rencontre. *Tu mènes une vie complètement dingue !* lui dirait-elle. Et après l'avoir malmenée de la sorte, Sutton la laisserait sûrement rester auprès d'elle quelque temps. Si toute cette histoire était une sorte de mise à l'épreuve perverse, Emma avait réussi avec mention, pas vrai ?

Elle voyait déjà la tête que feraient les Mercer en apprenant qu'elle leur avait dit la vérité le premier jour. Peut-être lui donneraient-ils une des chambres d'amis. Peut-être lui feraient-ils une place à leur table. Était-ce trop espérer ?

Non, je ne trouvais pas. Même si je savais que rien de tout cela n'arriverait.

Emma avait la bouche cotonneuse à cause de la vodka. Elle chercha son verre mais ne le trouva pas. Alors, elle se leva aussi discrètement que possible, sortit sur la pointe des pieds et descendit à la cuisine.

Le marbre du vestibule était glacé sous ses pieds. Près de la porte d'entrée se dressait un portemanteau anguleux qui ressemblait à une tarentule géante. Retenant son souffle, Emma se dirigea vers une lumière bleue diffuse qui brillait au bout du couloir.

Les horloges digitales du micro-ondes et de la cuisinière affichaient stoïquement l'heure en chiffres verts. Un lustre métallique pendait au-dessus du plan de travail central. Un mélange de peur et d'excitation picota la peau d'Emma. La tête penchée sur le côté, elle guetta des bruits indiquant que Sutton la surveillait : un souffle, un gloussement...

Mais elle n'entendit rien. Alors, elle prit un verre dans le placard et actionna le robinet. L'eau coula bruyamment dans l'évier. Après avoir tout bu jusqu'à la dernière goutte, Emma s'apprêta à retourner vers l'escalier.

Ce fut alors qu'un craquement résonna. Emma s'arrêta et regarda derrière elle, le cœur battant la chamade Les deux horloges digitales passèrent en même temps de 02 : 06 à 02 : 07. Un second craquement se fit entendre.

– Il y a quelqu'un ? chuchota Emma.

Sa vision se brouilla dans la pénombre.

Soudain, il y eut un grand fracas. Un éclair de douleur traversa la hanche de la jeune fille. Elle voulut pivoter, mais quelqu'un la coinça contre le plan de travail central en plaquant une main sur sa bouche. Le verre s'échappa de sa main et s'écrasa sur le sol. Une panique brûlante la submergea.

– Mmmmmh ! cria-t-elle.

Mais son agresseur ne s'écarta pas. Un corps tiède se pressa contre le dos d'Emma.

– Ne t'avise surtout pas d'appeler au secours, murmura à son oreille une voix rauque, impossible à identifier. Qu'est-ce qui t'a pris ? Je t'avais dit de jouer le jeu. Je t'avais dit de ne pas partir.

Emma voulut se retourner pour voir qui c'était, mais son agresseur la poussa en avant et colla sa joue contre la surface du plan de travail.

– Sutton est morte, insista la voix. Continue à te faire passer pour elle jusqu'à nouvel ordre. Et n'essaie plus de t'enfuir, ou tu seras la suivante.

Emma gémit. Une main serra son poignet si fort qu'elle crut que ses os allaient se briser. Puis quelque chose de froid et de métallique lui encercla le cou, se resserrant jusqu'à écraser sa trachée artère. Les yeux d'Emma sortirent de leurs orbites. Elle agita les bras, mais la pression du garrot s'accentua encore. Elle ne pouvait plus déglutir ni respirer. Tandis qu'elle se débattait, ses pieds commencèrent à la picoter.

J'observais la scène, horrifiée. Ma vision était aussi embrumée que celle d'Emma ; je pouvais juste dire que son agresseur avait des épaules larges. Je repensai à la silhouette noire qui m'avait toisée quand j'étais dans le coffre de la voiture, celle que je venais de revoir dans mon souvenir. Sa voix ressemblait beaucoup à celle-là.

Puis le garrot se relâcha. L'agresseur d'Emma la redressa. Des taches noires dansaient devant les yeux de la jeune fille. L'air s'engouffra dans ses poumons, lui faisant tourner la tête. Elle se plia en deux et toussa.

– Maintenant, garde la tête baissée et compte jusqu'à cent, reprit son agresseur. Ne lève pas les yeux avant d'avoir fini, sinon...

Tremblante, Emma pressa son front sur le plan de travail et se mit à compter.

– Un... Deux...

Des pas s'éloignèrent dans son dos. Je luttai pour distinguer son agresseur, mais celui-ci n'était qu'une ombre.

– Dix... Onze...

Une porte claqua. Emma leva prudemment la tête. La cuisine était aussi calme et tranquille que cinq minutes auparavant. Sur la pointe des pieds, la jeune fille se dirigea vers la porte d'entrée et regarda dehors. Mais son agresseur avait disparu.

Elle se plia en deux et resta ainsi un moment, occupée à reprendre son souffle. Comme elle se redressait, quelque chose heurta sa clavicule. Elle se tâta la gorge. Un médaillon rond pendait désormais à son cou – le médaillon de Sutton, celui qu'elle avait vainement cherché dans la boîte à bijoux de sa sœur, celui que cette dernière portait dans la vidéo de strangulation. La chaîne correspondait parfaitement aux indentations rouges dans sa peau.

Une fois de plus, Emma eut l'impression que son monde basculait. Sutton était vraiment morte. Elle ne pouvait plus en douter. Des larmes brûlantes emplirent ses yeux. Sa main tremblante se plaqua sur sa bouche pour étouffer un sanglot.

Elle fit un tour complet sur elle-même, scrutant l'intérieur de la cuisine, le bureau-bibliothèque, le double escalier et le majestueux vestibule. Son regard se posa sur un rayon rouge ininterrompu au-dessus de la porte d'entrée. Près d'une de ses extrémités, un clavier était fixé au mur. Une lumière verte éclairait le mot ACTIVE.

Emma s'approcha sur la pointe des pieds. Elle avait brièvement habité chez une famille d'accueil de Reno qui possédait le même système d'alarme. Les parents avaient un buffet plein de porcelaine Wedgwood antique ; pourtant, ils faisaient dormir les quatre gamins placés chez eux dans la même chambre minuscule. Un des frères d'accueil d'Emma lui avait montré comment fonctionnait l'alarme.

La jeune fille appuya sur une flèche dirigée vers le bas, faisant apparaître une liste des dernières fois où l'alarme avait été activée ou désactivée. La ligne du haut – qui correspondait à l'entrée la plus récente – disait « 20 : 12, ACTIVE ». C'était le moment où Mme Chamberlain avait refermé la porte après l'arrivée de Laurel et d'Emma.

Après ça, rien n'indiquait que la panne de courant ait désactivé l'alarme, ni que Mme Chamberlain ait redémarré le système quand l'électricité était revenue. L'alarme ne semblait pas non plus s'être déclenchée, ce qu'elle aurait dû faire si l'agresseur était entré par une porte ou une fenêtre. Alors... comment était-il entré ? Et ressorti ?

Le sang d'Emma se glaça dans ses veines. Et si son agresseur n'avait pas eu à se soucier de l'alarme ? Et s'il se trouvait dans la maison depuis le début ? Et si ce n'était pas un homme ?

Emma repensa à la voix dans son oreille. « Je t'avais dit de jouer le jeu. Je t'avais dit de ne pas partir. » Puis elle se remémora le coup de fil de Laurel. Celle-ci s'était étonnée qu'Emma se trouve à la gare routière Greyhound, tandis que Charlotte ne perdait pas une miette de la conversation. Se pouvait-il que... ?

J'étais à peu près sûre que oui. Je revis la silhouette aux larges épaules qui m'avait tirée du coffre de la voiture, dans mon souvenir. L'impression d'une chevelure rousse dans la lumière du lampadaire. La personne qui avait à moitié étranglé Emma se trouvait bel et bien dans la maison. C'était l'une de mes meilleures amies.

20

CHER JOURNAL, AUJOURD'HUI, JE SUIS MORTE

À peine Laurel se fut-elle arrêtée dans l'allée des Mercer, le samedi matin, qu'Emma jaillit hors de la voiture, ouvrit la porte d'entrée à la volée et monta l'escalier en courant. Elle faillit renverser Mme Mercer, qui traversait le couloir avec une pile de linge propre dans les bras.

– Sutton ?

– Pardon, marmonna Emma, je...

Sans achever sa phrase, elle se réfugia dans la chambre de sa sœur, claqua la porte derrière elle et la verrouilla précipitamment.

La première chose qu'elle vit, ce fut une pile d'enveloppes roses posées sur le lit. « RSVP », était-il écrit sur celle du dessus. Emma déchiffra le nom d'une fille qu'elle ne connaissait pas, écrit au stylo rose. *J'ai hâte*, avait ajouté la correspondante de Sutton. Emma retourna la carte. « SOIRÉE D'ANNIVER-SAIRE DE SUTTON MERCER, VENDREDI 10 SEPTEMBRE. CADEAU OPTIONNEL, TENUE FABULEUSE EXIGÉE ». Il y avait au moins cinquante enveloppes dans la pile.

Emma s'écroula sur le lit, faisant tomber quelques-uns des cartons de réponse. Il lui semblait que sa tête était prise dans un étau. Chaque fois qu'elle fermait les yeux, elle sentait son agresseur se presser contre elle, entendait sa voix dans son oreille. « Continue à te faire passer pour Sutton, ou tu seras la suivante. »

Elle n'avait pas fermé l'œil de la nuit. Elle était restée allongée dans la chambre de Charlotte, pétrifiée par l'agression dont elle venait d'être victime. Tout en fixant le menu du DVD de *Laguna Beach* resté à l'écran, elle avait ruminé sa découverte la plus récente. Quelqu'un avait tué Sutton − probablement une personne de son entourage proche.

Comment ma sœur ou une de mes meilleures amies avait-elle pu me faire ça ? me demandai-je d'abord. Puis je revis la scène des bassins chauds. J'avais été infecte avec elles toutes ce soir-là. Et si j'étais comme ça tout le temps ? Et si parfois, j'étais encore pire ?

Vautrée sur le lit de Sutton, Emma fixait la lanterne en papier rose accrochée près de la fenêtre en essayant de mettre de l'ordre dans ses idées. L'assassin avait dû retirer la vidéo d'Internet pour ne pas qu'Emma la montre à la police. De toute évidence, il ou elle savait qu'Emma n'était pas Sutton.

La jeune fille tenta de reconstituer le fil des événements. Première possibilité : Sutton avait reçu son message privé sur Facebook, lui avait répondu, et par une sale coïncidence, elle était morte un peu plus tard dans la nuit. Auquel cas, l'arrivée d'Emma à Tucson avait été une surprise pour l'assassin – mais une bonne surprise. Une remplaçante pour sa victime signifiait pas de recherches, pas de cadavre, donc pas de crime.

Puis les yeux d'Emma s'écarquillèrent comme une deuxième possibilité lui apparaissait. Et si Sutton n'avait jamais reçu son message ? Si c'était l'assassin qui lui avait répondu afin de l'attirer à Tucson ? Une des amies de sa sœur aurait facilement pu pirater son compte Facebook. Elle aurait pu lire le message d'Emma et sauter sur cette opportunité de manipuler une fille naïve afin de la substituer à sa victime.

Une araignée minuscule s'affairait dans un coin du plafond, tirant derrière elle un filament soyeux. Emma se redressa, fit rouler ses épaules et se dirigea vers le classeur sous le bureau de Sutton, celui qui était marqué « JEU DU M. ».

Emma soupesa le lourd cadenas dans sa paume. Il devait bien y avoir un moyen de l'ouvrir. Une fois de plus, elle fouilla les tiroirs du bureau en quête de la clé, cherchant un compartiment secret dans le fond, regardant à l'intérieur de chaque écrin vide et de chaque boîtier de CD, allant jusqu'à renverser le contenu d'un paquet de Camel light par terre. Elle se retrouva avec des brins de tabac sur les mains.

– Débrouille-toi pour ouvrir ce foutu classeur ! hurlai-je en vain.

J'en avais fini de craindre qu'Emma touche à mes affaires. J'étais morte, et nous avions toutes deux besoin de savoir pourquoi.

Puis Emma eut un éclair de génie. Elle repensa à Travis, et à cette vidéo YouTube qu'elle avait regardée avec lui durant la brève période où ils avaient été en bons termes − celle qui montrait comment forcer un cadenas avec une cannette de bière. Ça n'avait pas l'air bien difficile.

Emma se releva d'un bond. Sur le rebord de la fenêtre, elle trouva une cannette de Coca light vide. Empoignant une paire de ciseaux, elle traça le contour de la cale de crochetage et commença à découper.

Quelques instants plus tard, elle était en possession d'une sorte de M métallique comme celui qu'elle avait vu dans la vidéo YouTube. Elle le glissa le long du côté gauche de l'anse et remua doucement. Aussitôt, le mécanisme céda, et le cadenas s'ouvrit. Emma ne put réprimer un large sourire.

− Merci, Travis, murmura-t-elle.

Jamais elle n'aurait cru dire ça un jour.

Le cadenas tomba par terre avec un bruit mat. Le tiroir du classeur s'ouvrit avec un léger grincement. Emma regarda à l'intérieur. Il ne contenait qu'un épais carnet à spirale posé dans le fond.

La jeune fille s'en saisit et le posa sur ses genoux. Il n'y avait rien d'écrit sur la couverture, aucun nom et pas le moindre gribouillage sur le carton bleu brillant. La spirale en fil de fer était parfaitement ronde et égale − ni cabossée, ni rouillée.

Mais sur la première page s'étalait l'écriture ronde et nette de Sutton, étrangement semblable à celle d'Emma. « 10 janvier ».

Emma inspira. Allait-elle vraiment lire le journal de Sutton ? Du temps où elle habitait à Carson City, elle avait pris l'habitude de s'introduire en douce dans la chambre de Daria, une sœur d'accueil plus âgée et mystérieuse qui ne lui prêtait pas la moindre attention. Elle avait lu chaque page de son journal, qui parlait surtout de garçons et du fait qu'elle trouvait ses jambes et ses bras trop gros. Elle avait également fait les poches de ses jeans. Elle avait volé une paire d'écouteurs pour la seule raison qu'ils appartenaient à Daria.

Après ça, chaque fois qu'elle s'était rendue dans la chambre de la jeune fille, elle avait piqué une babiole : un CD de rap, un bracelet en plastique noir, un échantillon de Chanel nº 5. Mais lorsqu'elle avait déménagé pour s'installer chez une autre famille d'accueil, Emma avait été prise de remords. Elle avait fourré dans une grande enveloppe en kraft tous les petits trésors dérobés à Daria, écrit le nom de la jeune fille dessus et envoyé le tout aux services sociaux en se jurant de ne jamais recommencer.

C'était chouette qu'elle se soit racheté une conduite, mais moi, je voulais juste qu'elle lise mon putain de journal.

Poussant un soupir comme si elle m'avait entendu penser, Emma baissa les yeux vers la première page et se mit à lire. Les entrées étaient presque aussi courtes que des tweets, simples faits ou impressions jetés sur le papier au hasard. Parfois Sutton écrivait

Sabots Elizabeth & James ou *Soirée d'annif sur Mont Lemmon ?* Parfois, elle s'exclamait : *Je déteste l'histoire !* ou *Maman peut aller se faire voir !*

Mais les passages qui semblaient plus profonds étaient les moins explicites de tous. *C n'arrête pas de me faire chier,* avait écrit Sutton à la date du 10 février. *Il faut vraiment qu'elle tourne la page.* Et le 1ᵉʳ mars : *J'ai eu un visiteur inattendu ce soir après les cours. Il ressemble à un mignon petit chiot qui me suivrait partout.* Le 9 mars : *M s'est surpassée aujourd'hui. Parfois, il me semble que C a raison à son sujet.*

Emma feuilleta le reste du carnet en essayant de deviner de quoi Sutton pouvait bien parler. Elle mentionnait souvent une *L* qui devait être Laurel. *Ce matin, L est descendue habillée exactement comme moi.* Ou : *J'ai joué un tour pendable à L cet après-midi. J'espère qu'elle regrettera d'avoir fait des pieds et des mains pour se joindre à nous.* Puis, le 17 mai : *L ne se remet pas d'avoir perdu T. Reprends-toi, ma vieille. C'est juste un mec !*

Le regard d'Emma se posa sur une entrée datée du 20 août, deux semaines auparavant : *Si L me parle encore une seule fois de cette nuit, je la tue.* « Cette nuit ? Quelle nuit ? » voulait hurler Emma. Pourquoi Sutton restait-elle toujours aussi vague ? On aurait dit qu'elle tenait son journal pour la CIA !

J'étais tout aussi frustrée qu'elle.

Puis un rectangle de bristol s'échappa du carnet et tomba doucement par terre. Emma le ramassa, déchiffra les grandes lettres sur le devant et hoqueta : « CARTE DE MEMBRE DU JEU DU MENSONGE ».

226

Dessous figuraient le nom de Sutton, le titre « PRÉSIDENTE ET DIVA », ainsi qu'une date – au mois de mai, plus de cinq ans auparavant.

De l'autre côté du rectangle, Sutton avait rédigé un règlement intérieur.

1. On ne parle du jeu du mensonge à PERSONNE, sous peine d'expulsion.

2. Le club ne peut pas compter plus de trois membres en même temps. (Mais quelqu'un avait barré le « trois » et écrit « quatre » au-dessus.)

3. Chaque nouvelle blague doit être meilleure que les précédentes. Celle qui déjoue la blague de quelqu'un d'autre remporte un insigne spécial.

4. Si on a vraiment des ennuis et que ce n'est pas une blague, on doit utiliser le code sacré : « Croix de bois, croix de fer. » Ce qui signifie : «Appelez les urgences !»

Venait ensuite une liste de blagues non-autorisées. Il était notamment interdit de faire du mal à des animaux ou à de jeunes enfants, d'endommager des biens matériels coûteux et/ou irremplaçables (la Porsche du père de Charlotte était citée en exemple) ou de faire quelque chose qui attirerait l'attention des autorités. Tout en bas, dans une encre bleue différente, quelqu'un avait ajouté : *Plus de sexting !* Et souligné les mots trois fois.

Moi aussi, j'observais la carte de membre, l'esprit en ébullition. Dans un flash, je me revis découper ces cartes avec Madeline et Charlotte et nous les remettre aussi cérémonieusement que des Oscar. Mais mon souvenir n'allait pas plus loin.

Emma lut et relut le règlement intérieur avec une certitude grandissante. Elle savait désormais en quoi consistait le Jeu du Mensonge : c'était une version psychopathe des exercices de Girl Scouts. Elle repensa à la vidéo de strangulation. À la base, peut-être s'agissait-il aussi d'une blague qui avait dérapé parce qu'une des amies de Sutton était allée trop loin...

Mettant de côté la carte de membre, Emma recommença à parcourir le journal de sa sœur. Sur la page suivante, elle remarqua une entrée du 22 août : *Parfois, j'ai l'impression que toutes mes copines me détestent jusqu'à la dernière.* Rien de moins, rien de plus. Dessous, Sutton avait rédigé ce qui ressemblait à une recette de smoothie Jamba Juice : *Banane, myrtille, aspartame, supplément d'agropyre.*

D'aaaaccord, songea Emma.

La page suivante était couverte de dessins de filles en jupe ou en robe, intitulés : « Tenues d'été idéales ». La dernière entrée datait du 29 août, trois jours avant que Travis montre la vidéo à Emma. *J'ai l'impression que quelqu'un m'observe,* avait griffonné Sutton d'une main tremblante. *Et je crois savoir qui c'est.* Emma lut et relut cette entrée, le cœur serré.

Je me concentrai de toutes mes forces, mais rien ne me revint en mémoire.

Emma posa le journal de Sutton sur le bureau, près de l'ordinateur. Elle déplaça la souris sur son tapis bleu ciel, et l'écran s'alluma. Ouvrant Safari, elle démarra Facebook. La page de sa sœur se chargea automatiquement.

Tandis qu'Emma passait les statuts de Sutton en revue, elle commença à y voir plus clair. En août, Sutton avait écrit : *Je te vois* sur le mur de Laurel. En juillet, elle avait grondé Madeline : *Tu n'es qu'une sale petite espionne.* En juin, elle avait envoyé un message privé à Charlotte : *Tu es après moi, pas vrai ?* Elle avait laissé un mot similaire sur les pages des Jumelles Twitteuses : *Vous voulez bien cesser vos manigances contre moi, toutes les deux ?*

– Qu'est-ce que tu fais ?

Emma sursauta et fit volte-face. Laurel était appuyée au chambranle de la porte, son iPhone à la main. Elle avait rassemblé ses cheveux blonds en queue de cheval et s'était changée. À présent, elle portait un combishort en éponge rose et des tongs noires. Des lunettes de soleil Ray-Ban masquaient ses yeux, mais elle arborait un large sourire.

– Je regarde juste mes mails, répondit Emma sur le ton le plus léger possible.

L'iPhone bipa dans la main de Laurel, mais celle-ci n'y jeta même pas un coup d'œil. Elle continuait à fixer Emma en faisant tourner un anneau en argent autour de son doigt. Puis son regard se posa sur le cadenas abandonné sur le lit. Le journal sur les genoux d'Emma. La carte de membre du Jeu du Mensonge, sur le bureau. Emma sentit battre son cœur jusque dans le bout de ses doigts.

Finalement, Laurel haussa les épaules.

– Je vais à la piscine, si tu veux me rejoindre.

Elle sortit et referma la porte derrière elle.

Emma rouvrit le journal de Sutton. *Parfois, j'ai l'impression que toutes mes copines me détestent jusqu'à la dernière.* Elle serra les dents. Elle n'avait jamais connu son père. Sa mère l'avait abandonnée et à présent, on lui avait enlevé sa sœur jumelle avant qu'elle ait une

229

chance de la rencontrer. Emma n'était pas certaine qu'elles se seraient bien entendues, mais maintenant, elle ne le saurait jamais.

Il n'était pas question que les amies de Sutton s'en tirent comme ça. Pas si elle avait une chance de les en empêcher. Elle allait découvrir ce qu'elles avaient fait à Sutton. Elle trouverait un moyen de prouver leur culpabilité. Mais pour ça, elle devrait s'approcher encore davantage d'elles.

Saisissant l'ordinateur portable, elle le fit pivoter vers elle, cliqua sur la fenêtre de statut dans la page Facebook de Sutton et commença à taper.

Je déclare la partie ouverte, pétasses.

Trois réponses apparurent presque immédiatement. La première venait de Charlotte. *Un nouveau jeu ? Raconte-moi tout. Je suis partante.* La seconde, de Madeline : *Moi aussi !* La dernière, de Laurel : *Tout pareil ! C'est un secret, j'imagine ?*

Plus ou moins, répondit Emma. Parce que cette fois, la blague se ferait à leurs dépens. Et ce serait bien une question de vie ou de mort.

21

ESPIONNAGE À SENS UNIQUE

– Alors, tu veux aller dîner où ? demanda Garrett en descendant une colline au volant de sa Jeep Wrangler.

– Euh, je ne sais pas. (Emma se mordilla le petit doigt.) Tu n'as qu'à choisir un resto.

Garrett parut choqué.

– Moi ?

– Pourquoi pas ?

Le jeune homme hésita, le regard flou. Il ressemblait à la poupée Elmo dont Emma avait hérité d'une fille plus âgée lors de sa première année en famille d'accueil, celle qui était censée rire quand on la chatouillait mais qui ne réagissait pas toujours. Parfois, elle se contentait de fixer le vide sans savoir quoi faire.

– Parce qu'on va toujours là où tu veux, répondit Garrett.

Emma enfonça les ongles dans sa paume. Elle ne pouvait pas lui dire qu'elle était incapable de choisir un restaurant parce qu'elle n'en connaissait aucun à Tucson. Puis elle repéra un Trader Joe's par la fenêtre de la Jeep.

– Pourquoi on n'irait pas s'acheter du fromage et des autres trucs pour pique-niquer dans la montagne ?

– Génial.

Garrett coupa trois files pour atteindre l'entrée du parking de la supérette.

C'était samedi soir, juste après 19 : 00. Le soleil déclinait à l'horizon. Une demi-heure plus tôt, Garrett était arrivé chez les Mercer avec un bouquet de fleurs à la main et une explosion de senteurs différentes sur tout le corps – eau de Cologne, déodorant, gel pour les cheveux, la totale. Il semblait si plein d'espoir qu'Emma n'avait pas eu le cœur d'annuler leur rencard, même si chaque fibre de son corps en mourait d'envie. Elle ne voulait pas se préoccuper de Garrett pour le moment : elle voulait juste chercher l'assassin de Sutton.

Après avoir attendu derrière une vieille dame qui avait insisté pour payer en chèque, Emma et Garrett arrivèrent au Parc d'État de Catalina. Un sac plein de cidre, d'olives noires, de biscuits apéritif, de raisins, de mélange de fruits secs, de réglisse australienne et de brie pendait au coude du jeune homme. L'air était frais et sentait la crème solaire. Des randonneurs gravissaient le chemin.

Après avoir enchaîné quelques virages en épingle à cheveux, Emma et Garrett atteignirent le point de vue et s'installèrent sur un gros rocher. De là, on voyait jusqu'au pied de la montagne, et la voiture de Garrett ressemblait à un jouet d'enfant.

– Il fait vraiment bon ce soir, murmura Garrett en passant une main dans ses cheveux blonds.

Il ôta sa chemise à manches longues et l'étendit sur le sol en guise de nappe. Ses biceps bronzés saillirent comme il ouvrait la bouteille de cidre, qui laissa échapper un *pschhht* satisfaisant.

– Mmmh, acquiesça Emma sans se mouiller.

Elle regardait droit devant elle. Dans sa tête, il y avait un grand blanc là où auraient dû se bousculer les sujets de conversation. De quoi parlaient Garrett et Sutton quand ils étaient ensemble ? Avaient-ils des plaisanteries récurrentes ? Qu'est-ce qui les liait l'un à l'autre ? Si Sutton avait été un peu plus explicite dans son journal, Emma aurait peut-être appris quelque chose qui aurait pu lui servir dans une situation comme celle-là.

Elle sortit leurs provisions du sac en soupirant. Distraitement, elle posa un biscuit salé sur une serviette en papier, ajouta deux olives en guise d'yeux, une cacahuète en guise de nez et un morceau de réglisse en guise de sourire. Puis elle enfonça un doigt entre les côtes de Garrett.

– Tu aimes mon nouvel ami ?

Le jeune homme fixa le biscuit quelques instants avant de répondre :

– Il est mignon.

– Tu veux t'en faire un aussi ?

Il haussa les épaules.

– C'est tout juste si j'arrive à dessiner un cercle en cours de dessin.

Emma prit une des olives et la mit dans sa bouche. *Décidément, on n'a pas beaucoup de points communs.*

Moi, j'étais plutôt contente que Garrett ne lui plaise pas. Je ne me souvenais pas pourquoi je l'aimais, ni pourquoi je le considérais comme « abîmé » ; je savais juste que je l'aimais. Et même morte, je le voulais pour moi toute seule.

Emma se rassit et regarda l'horizon en touchant machinalement sa gorge égratignée par l'agression de la nuit précédente. Sa peau était encore couverte de petites marques rouges, et sa trachée artère restait douloureuse. Elle avait pris plusieurs Advil et dissimulé les traces avec du fond de teint Dior trouvé dans la salle de bains de Sutton, dans l'espoir que Garrett ne remarquerait rien. Elle sentait encore le souffle chaud de son agresseur dans sa nuque. Fermant les yeux, elle frémit.

– Ça va ? demanda Garrett.

Emma acquiesça.

– Oui, je suis juste crevée.

– C'était sympa, cette soirée pyjama ?

– En fait… je n'ai pas réussi à dormir, avoua-t-elle.

– Et c'est bien ou mal ? la taquina Garrett.

Emma tripota le médaillon de Sutton sans répondre. Ça lui faisait toujours bizarre de le sentir à son cou.

– Allez, dit Garrett en la poussant gentiment. Tu peux me raconter ce qui se passe pendant vos folles soirées entre filles. Tu ne me dis jamais rien.

Emma prit un autre biscuit. Après tout, pourquoi pas ? Garrett lui apporterait peut-être des éléments précieux pour son enquête.

– Ben... « Sympa », ce n'est pas forcément le mot que j'emploierais, dit-elle lentement. Je dirais plutôt « intense ». Parfois, j'ai l'impression que mes amies me détestent. Qu'elles me poignarderaient dans le dos si elles pouvaient.

C'était bizarre de réciter les mots qu'elle avait lus dans le journal de Sutton.

Deux étudiants qui empestaient le shit émergèrent dans un virage. Le vent tourna, leur apportant subitement une odeur d'aisselles en sueur. Garrett mordit dans un grain de raisin, et un peu de jus lui coula sur le menton.

– Tu penses à cette fameuse nuit ?

Emma sursauta.

– Quelle nuit ?

Lentement, le jeune homme mâcha un biscuit salé.

– La nuit dont tu ne veux pas me parler.

Emma écarquilla les yeux. Elle ne savait pas du tout à quoi il faisait allusion.

– À moins que tu ne penses à Charlotte, suggéra Garrett, voyant que la jeune fille ne répondait pas.

Emma baissa les yeux. Que venait faire Charlotte là-dedans ?

– Euh, oui, bredouilla-t-elle, espérant que ça la mènerait quelque part. Je ne comprends pas. C'est quoi, son problème ?

Garrett enfonça le bout de sa basket dans une touffe d'herbe sèche du désert.

– Il faut lui laisser un peu de temps, Sutton. Mets-toi à sa place. Je l'ai plaquée pour sortir avec toi. C'est normal qu'elle t'en veuille.

Emma enfourna un morceau de brie dans sa bouche pour dissimuler sa surprise. Charlotte et Garrett étaient sortis ensemble ? Elle n'avait rien lu de tel dans le journal de sa sœur.

D'un autre côté, ça expliquait beaucoup de choses. Notamment le regard meurtrier que Charlotte avait lancé à Emma la veille, quand le sujet de l'infidélité avait été abordé pendant la partie de Jamais Au Grand Jamais. Et cette photo de Garrett torse nu dans sa salle de bains. Et cette autre photo qui traînait sous son lit.

– Visiblement, elle ne s'en est pas remise, acquiesça Emma. En fait, je pense qu'elle est toujours amoureuse de toi.

Garrett soupira et passa les bras autour de ses genoux.

– Je regrette ce qui s'est passé entre nous. Je croyais qu'elle comprenait. On était amis, et quand on a essayé de sortir ensemble... Il n'y avait pas d'étincelle. Pas de mon côté, et je pensais qu'il n'y en avait pas du sien non plus. (Il cassa un morceau de biscuit et le garda dans sa paume.) Elle m'appelle de temps en temps. Parfois, elle raccroche sans rien dire.

Emma redressa le dos.

– Elle te fait des blagues téléphoniques ?

Garrett fronça les sourcils.

– Non, je ne crois pas que ce soit ça. Simplement, elle ne sait pas quoi dire. Elle me fait de la peine. Je sais qu'elle est coriace, mais ça doit être dur pour elle. Et je ne peux pas l'éviter, puisqu'elle traîne tout le temps avec toi. Je veux qu'elle reste mon amie. Je veux qu'on soit tous amis. Elle était là pendant..

ce qui est arrivé à Louisa. (Sa voix se brisa comme il prononçait ce prénom, et une expression douloureuse passa sur son visage.) Elle m'a soutenu tout le long. Nous avons un passé commun.

Submergée par les révélations de Garrett, Emma sentit la tête lui tourner. Elle s'efforçait encore d'assimiler ce qu'il venait de lui dire quand le jeune homme lui prit la main.

– Mais je ne veux rien de plus avec elle, déclarat-il. Mon présent, c'est toi. C'est avec toi que je veux être. (Il se rapprocha d'Emma et lui passa un bras autour des épaules.) Ça me rappelle... ce dont on a parlé cet été. Nos projets, tu sais ?

Emma scruta son visage bien trop proche d'elle en faisant un gros effort pour ne pas s'écarter. Garrett semblait tellement sérieux tout à coup !

– Ouais, éluda-t-elle, espérant qu'il développerait.

– Je pensais que ce serait bien de le faire pour ton anniversaire, dit-il avec un sourire timide, tout en traçant des motifs sur le bras de la jeune fille du bout du doigt. Qu'est-ce que tu en penses ?

Emma haussa les épaules.

– Pourquoi pas ? Oui, bonne idée.

Garrett se rapprocha et se pencha vers elle. Emma se raidit comme il l'embrassait. Mais il sentait le jus de raisin, le cidre pétillant, et ses lèvres étaient chaudes et douces. La jeune fille se détendit dans ses bras.

Puis une brindille craqua tout près d'eux. Emma se dégagea, inquiète.

– Tu as entendu ?

Il y eut un autre craquement.

– Oui.

Garrett fronça les sourcils et regarda autour d'eux. Quelqu'un émergea d'un sentier de terre battue qui partait depuis la piste de randonnée. C'était une fille à la peau pâle et aux cheveux roux. Emma hoqueta.

– Oh !

Charlotte s'arrêta net et sortit de ses oreilles ses écouteurs d'iPod. Son regard fit la navette entre les deux jeunes gens, s'attardant sur leurs mains aux doigts entrelacés. Que faisait-elle là ? Les espionnait-elle ?

Garrett tira nerveusement sur le col de son T-shirt.

– Euh, salut, Char. Quoi de neuf ?

La rouquine tripota le bracelet de chanvre qu'elle portait au poignet.

– Oh, rien. Je prenais l'air.

– Cool, commenta Garrett.

– C'est une belle soirée pour se balader, ajouta bêtement Emma.

Sur une corniche voisine, un faucon poussa un cri lugubre. Quand Charlotte releva la tête, sa bouche ne tremblait plus, et son expression était redevenue impassible.

– Bref. À plus, les tourtereaux.

– À... à plus, bredouilla Emma.

Charlotte remit ses écouteurs. Garrett agita faiblement la main. Lorsque Charlotte prit le virage, son visage s'assombrit. Elle jeta un coup d'œil par-dessus son épaule et croisa le regard d'Emma. Celle-ci sentit des mains autour de son cou et entendit de nouveau une voix rauque dans son oreille. *Sutton est morte.* Charlotte était-elle son agresseur ?

Je me souvins de la silhouette aux larges épaules qui m'avait toisée quand j'étais dans le coffre de la voiture, et je me posai la même question. Était-ce Charlotte qui m'avait regardée avec tant de colère avant de se venger de moi une fois pour toutes ?

Puis la jeune fille détourna la tête si vite que sa queue de cheval rousse vola dans son dos. Elle se mit à marcher en balançant les hanches au son de son iPod. Elle disparut derrière un gros rocher sans faire plus de bruit que si elle n'avait jamais été là.

22

SOMBRES SECRETS

Le lundi après-midi, quand M. Garrison, le prof de gym, proposa à ses élèves de faire une longue marche ou de jouer au hockey en salle – *beurk!* –, Emma prit le chemin bordé de haies qui longeait les courts de tennis et se dirigeait vers la piste de course déserte.

Il faisait chaud, mais une brise légère apportait une vague odeur de café moulu depuis le bar à expressos de la cafétéria. Des brins d'herbe séchés voletaient dans les airs et se posaient en travers des huit pistes délimitées à la peinture jaune ou dans le bac à sable du saut en longueur. Des haies rayées rouges et blanches étaient empilées proprement au milieu du terrain d'athlétisme ; un sweat-shirt gris abandonné et une bouteille de Gatorade presque vide gisaient près d'elles. On n'entendait pas d'autre bruit que le croassement des corbeaux dans les arbres, au loin.

Emma sortit l'iPhone de Sutton et envoya un texto à Madeline : *Spa après l'entraînement de tennis ?* Elle mourait d'envie de lui parler depuis son étrange rencontre avec Charlotte sur la piste de randonnée, le samedi, mais Madeline avait passé le week-end à Phoenix en stage de danse. Et Emma venait juste de découvrir que Charlotte avait un rendez-vous après le lycée – « Je vais chez la gynéco », lui avait-elle chuchoté pendant le déjeuner avec un regard entendu – ce qui signifiait qu'Emma se retrouverait enfin seule avec Madeline.

Elle voulait absolument comprendre l'état d'esprit de Charlotte. Pendant le week-end, elle avait lu et relu le journal de Sutton, cherchant des indices. Mais elle n'avait trouvé que l'entrée qui disait : *C n'arrête pas de me faire chier. Il faut vraiment qu'elle tourne la page.* Et, bien entendu : *Parfois, j'ai l'impression que mes copines me détestent toutes jusqu'à la dernière.*

Était-ce une raison suffisante ? Charlotte en voulait-elle à Sutton de lui avoir volé Garrett au point de l'étrangler ? Au point de la tuer ? Elle n'aurait pas eu de mal à descendre discrètement au rez-de-chaussée de sa propre maison pour agresser Emma, puis à remonter dans sa chambre de la même façon. Qui sait ? Peut-être y avait-il un escalier secret dans cette immense baraque.

La théorie d'Emma m'horrifiait. Combien de fois avais-je vanné Charlotte dans les bassins chauds ? Combien de fois l'avais-je rabaissée publiquement ? La trahison de Garrett avait-elle été la goutte d'eau

242

qui avait fait déborder le vase, ou y avait-il eu une autre raison ?

— Sutton, appela quelqu'un.

Pivotant, Emma aperçut une silhouette qui se découpait à contre-jour entre deux haies, de sorte qu'elle ne put distinguer son visage. L'espace d'un instant, toutes sortes de pensées défilèrent dans sa tête, et son estomac se noua.

Puis Ethan s'avança dans la lumière. Emma se détendit.

— Salut, lui lança-t-elle, soulagée, tandis que le jeune homme s'avançait sur la piste pour marcher avec elle. Je ne savais pas que tu avais gym en même temps que moi.

— Je n'ai pas gym en ce moment, la détrompa Ethan. Je suis censé être en cours d'algèbre. Mais je suis tellement paumé dans les fonctions que ça ne sert à rien que j'y aille.

Le revêtement spongieux, à l'épreuve de la pluie comme du soleil, étouffait le bruit de leurs pas. Une odeur de gaz d'échappement leur parvenait depuis l'arrêt de bus, sur le devant du lycée. Un colibri fila vers l'une des mangeoires tubulaires qu'un des jardiniers avait suspendues près du gymnase, ses ailes battant si vite que l'œil humain ne parvenait pas à les suivre.

— Alors, tu l'as fait ? demanda Ethan quand ils eurent fini leur premier tour. Tu as annoncé à tes copines que tu ne voulais plus jouer de mauvaises blagues à personne ?

— Pas exactement. (Emma se retint de rire.) J'y travaille.

– Tu penses toujours qu'elles sont mauvaises ? grimaça le jeune homme.

– En quelque sorte.

Plus que tu ne le crois. Voilà ce qu'Emma aurait voulu répondre. Puis son regard se posa sur les mots qu'Ethan avait écrits en lettres majuscules sur son bras. « COMBIEN FRAGILE DOIT ÊTRE LE CŒUR HUMAIN – MIROIR DANS LEQUEL SE REFLÈTENT LES PENSÉES. » Elle reconnut instantanément la citation.

– Tu aimes Sylvia Plath ?

Deux taches rouges apparurent sur les joues d'Ethan.

– Tu m'as démasqué. Je lis de la poésie de fille déprimante.

– C'est toujours mieux que d'en écrire, s'esclaffa Emma. J'en ai un carnet plein. (Un carnet qui se trouvait dans la poche d'un sac de marin disparu. Le cœur de la jeune fille se serra. Elle ne le reverrait sans doute jamais.) Tu as lu *La cloche de détresse* ? demanda-t-elle à Ethan.

Celui-ci acquiesça.

– J'ai adoré.

– Je l'ai lu trois fois cet été, dit Emma, très excitée.

– Sutton Mercer a lu *La cloche de détresse* ? s'étonna Ethan en lui jetant un regard surpris. Et elle a un carnet plein de poésie déprimante ? Décidément, tu es une créature complexe.

M. Garrison donna un coup de sifflet : le signal que ses élèves devaient regagner le gymnase. Emma pivota vers le chemin bordé de haies.

– À plus.

Rose de plaisir, elle sourit à Ethan, puis se détourna et s'en fut en faisant crisser le gravier sous ses pieds. Tandis qu'elle se dirigeait vers le gymnase sans se départir de son large sourire, l'iPhone de Sutton bipa. Elle le sortit de sa poche et consulta l'écran. *Super ID,* avait répondu Madeline. *La Paloma à 19 heures ?*

Parfait, se hâta de taper Emma. Peut-être allait-elle enfin obtenir des réponses.

– Mesdemoiselles Vega et Mercer ? (Une femme en blouse blanche, au visage couvert de taches de rousseur, se tenait sur le seuil de la salle d'attente de La Paloma.) Votre cabine est prête.

– Merci.

Madeline diminua la fenêtre du site de potins qu'Emma et elle étaient en train de parcourir sur son iPhone. Elles jouaient à se donner un coup de poing chaque fois qu'elles voyaient une célébrité bourrée, et deux si un des seins de ladite célébrité s'était échappé de son décolleté.

L'esthéticienne, dont le badge indiquait qu'elle s'appelait Sofia, ouvrit une porte et s'effaça pour laisser les deux filles s'engager dans un long couloir étroit. Un employé qui passait dans l'autre sens leur jeta un regard approbateur. Madeline gloussa et, dès que le type l'eut dépassée, elle lui donna une tape rapide sur les fesses. Il fit volte-face, mais elle continua à marcher comme si de rien n'était, ses longs cheveux se balançant dans son dos.

Sofia ouvrit une porte vitrée, révélant une grande baignoire en émail. Les ampoules basse tension encastrées dans le plafond diffusaient une douce lumière jaune, et des bruits de forêt tropicale s'élevaient des haut-parleurs.

— Je vous laisse vous installer, pépia Sofia en refermant la porte.

Aussitôt, Madeline laissa tomber son peignoir par terre, ajusta les nœuds de son bikini noir et grimpa les marches de plastique qui conduisaient à la baignoire.

— Tu viens ? lança-t-elle à Emma par-dessus son épaule.

Emma défit la ceinture de son peignoir et entra prudemment dans la baignoire. Celle-ci était remplie d'une boue épaisse et granuleuse, si bien que la jeune fille eut l'impression de s'asseoir dans un bol géant de bouillie d'avoine. Madeline appuya sa tête sur le rebord avec une expression béate. Sofia revint et leur déposa des tranches de concombre sur les yeux.

— Profitez-en bien, chantonna-t-elle en baissant les lumières et en montant les bruits de forêt tropicale avant de sortir.

La boue faisait des bulles autour d'Emma. La jeune fille tenta de savourer ce moment. Les tranches de concombre avaient une bonne odeur fraîche, mais la musique était si forte qu'elle trouvait difficile de se détendre. Le martèlement d'une lourde pluie céda la place à des tambours tribaux, puis à un bourdonnement d'insectes. Des oiseaux pépiaient et roucoulaient. Une flûte africaine gazouilla.

Quand un singe poussa un glapissement aigu, Emma se mit à pouffer. Elle entendit un ricanement de l'autre côté de la baignoire et ôta les tranches de concombre de ses yeux. Madeline pinçait les lèvres comme si elle se retenait d'éclater de rire ; du coup, des secousses silencieuses agitèrent les épaules d'Emma. Puis deux singes se mirent à hurler ensemble, et les jeunes filles s'esclaffèrent si fort qu'une tranche de concombre tomba des yeux de Madeline. La boue l'engloutit avec un *plop* pareil à un rot de satisfaction.

– Je crois que les singes s'envoient en l'air, commenta Madeline entre deux éclats de rire.

– C'est clair, approuva Emma en projetant, d'une pichenette, un peu de boue vers sa camarade.

Elles se renfoncèrent dans la baignoire, laissant échapper un gloussement ou un ricanement de temps à autre. Puis Madeline prit le verre d'eau citronnée posé près de sa tête, but une longue gorgée et soupira de bien-être.

– Alors, comment ça va ? Tu as l'air un peu… endormie depuis une semaine, comme si on avait augmenté ta dose de médocs.

Au moins, quelqu'un avait remarqué une différence !

– Ça va, répondit Emma. Je suis juste un peu fatiguée. L'école me donne toujours envie d'hiberner.

– Oui, ben tu ferais mieux de te réveiller, bébé ours, dit Madeline en agitant un index moqueur. Ton public sera très déçu si tu ne te comportes pas comme une rock star pour ton anniversaire. Et quand je dis « ton public », c'est de moi que je parle, évidemment.

– Je tâcherai d'être à la hauteur, sourit Emma.

Une vapeur à l'odeur vaguement sulfureuse formait des nuages autour d'elles. La tête de quelqu'un passa de l'autre côté de la vitre en verre dépoli qui se découpait dans la partie supérieure de la porte. Emma prit une grande inspiration. *Je me lance.*

– Si quelqu'un se conduit bizarrement depuis la rentrée, c'est Charlotte ; tu ne trouves pas ?

Madeline secoua la tête pour chasser une mèche qui lui tombait devant les yeux.

– Elle n'est pas plus bizarre que d'habitude.

La hanche d'Emma la démangeait, mais elle ne voulait pas enfoncer sa main dans la boue pour se gratter.

– Tu sais où elle était la veille de la soirée de Nisha – le jour de la Fête du Travail ?

Madeline haussa les épaules.

– Tu voudrais vraiment que je me rappelle un truc qui remonte à plus d'une semaine ? Les cours m'ont déjà grillé le cerveau.

Mais Emma remarqua que l'autre fille évitait son regard, et qu'elle tripotait nerveusement le bracelet en plastique noir à son poignet.

– Je devais la voir ce soir-là, et elle m'a laissée tomber, improvisa-t-elle. Parfois, j'ai l'impression qu'elle m'en veut sérieusement. Elle n'arrête pas de me faire des remarques à propos de Garrett. Je crois qu'elle nous espionnait samedi.

Et qu'elle cherchait peut-être un moyen de me tuer, ajouta-t-elle en son for intérieur, *comme elle a déjà tué Sutton.*

Un muscle tressaillit près de l'œil droit de Madeline. La vapeur tourbillonnait autour de son visage.

– Je ne pense pas qu'elle t'en veuille. À mon avis, elle s'inquiète juste pour Garrett

– Elle s'inquiète ? Pourquoi ?

La boue clapota comme Madeline changeait de position.

– Pitié, Sutton. Tu sais bien comment tu es avec les garçons. Tu détruis tous ceux que tu touches.

– Ce n'est pas vrai !

La voix d'Emma se brisa.

Mais les paroles de Madeline m'avaient ébranlée. Je voulais qu'elle mente ou qu'elle se trompe… Hélas, je craignais que ça ne soit pas le cas. Franchement, je ne savais plus que croire à mon propre sujet.

Madeline renifla d'un air indigné.

– Ah oui ? Tu veux qu'on passe en revue la liste de tes copains de l'an dernier ? Tu as pratiquement forcé Brandon Crawford à rompre avec Sienna pendant la soirée des anciens élèves, puis tu ne l'as jamais rappelé. Tu as fait croire à Owen Haas que tu mourais d'envie de sortir avec lui, puis tu l'as traité comme de la merde. Et regarde Thayer…

Thayer ? Était-ce à cause de Sutton qu'il avait fugué ?

Je me creusais la tête, essayant de me souvenir ou de me rappeler quelque chose, mais en vain.

Madeline soutint le regard d'Emma sans ciller. La pièce semblait tout à coup très petite et oppressante. Baissant les yeux, Emma se concentra sur les quatre tranches de concombre qui flottaient à la surface de la boue.

Soudain, Madeline sortit de la baignoire, les jambes et le ventre dégoulinants de boue.

– Qu'est-ce que tu fais ? s'étonna Emma en se levant à demi.

– J'avais complètement oublié. (Madeline se tamponna le visage avec une serviette.) J'étais censée être chez mon père à cette heure-ci. Tu pourras demander à Laurel de passer te prendre ?

Tout en parlant, elle se détourna. Des taches brunes maculaient déjà sa serviette, avec laquelle elle venait de s'essuyer les bras.

– Attends, Mads, protesta Emma. Que se passe-t-il ?

Elle se traîna maladroitement vers les marches de la baignoire. La boue ralentissait ses mouvements comme dans ces rêves angoissants qu'elle faisait parfois – ceux où elle essayait de courir et réalisait qu'elle se trouvait sur un tapis roulant qui allait dans l'autre sens.

Madeline avait déjà enfilé son peignoir.

– On se voit demain au lycée, marmonna-t-elle très vite avant de se glisser hors de la pièce, laissant des empreintes boueuses sur le sol carrelé.

La porte se referma avec un chuintement. Le silence s'installa, à peine rompu par le gargouillis de la boue. Même la musique s'était interrompue. Emma sortit de la baignoire et pressa une serviette sur son visage. Que diable venait-il de se passer ? Et qu'était-il arrivé entre Sutton et Thayer ?

À l'instant où elle saisissait une deuxième serviette, quelque chose attira son regard. Un iPhone gisait par terre. Elle le ramassa et regarda le dos. Il était orné d'un autocollant à paillettes – une fille avec des cornes de diable qui faisait une pirouette. « MAFIA DU LAC DES CYGNES », était-il écrit dessous. C'était le téléphone de Madeline.

Emma jeta un coup d'œil aux empreintes boueuses, puis à la porte, avant de reporter son attention sur l'iPhone. Elle se rinça les mains dans le lavabo et prit une grande inspiration. Devait-elle vraiment… ?

– Oui ! lui hurlai-je aussi fort que possible.

Emma fit glisser la barre sur l'écran de l'iPhone pour le déverrouiller. D'une main tremblante, elle appuya sur la petite icône qui représentait une bulle de pensée pour ouvrir les textos de Madeline. Le premier de la liste était l'invitation pour le spa qu'elle avait envoyée elle-même. Venaient ensuite plusieurs messages relatifs au mauvais tour que les filles avaient joué à Nisha : Laurel disait qu'elle avait trouvé une actrice pour jouer la fliquette ; Charlotte demandait si Madeline pouvait passer au centre commercial pour acheter du faux sang.

Emma remonta jusqu'aux textos les plus anciens. Certains évoquaient des arrangements pour se rendre à la soirée chez les Banerjee, mais il n'y avait rien au sujet d'un faux enlèvement.

Des bruits de pas résonnèrent dans le couloir. Emma se figea. Quelqu'un passa en sifflotant. La main d'Emma se crispa sur l'iPhone.

Le danger écarté, elle passa en revue les photos de Madeline. La première montrait une guitare électrique. Emma tira l'écran sur la gauche et vit apparaître deux danseuses sur scène – Madeline et une autre fille qu'elle ne connaissait pas. Venait ensuite un cliché de la vitrine des bijoux chez Anthropologie, puis une photo de Madeline et de Sutton se prélassant sur des chaises longues.

Emma continua à faire défiler les images. Un auto-portrait pris dans une psyché. Madeline, Sutton et Charlotte près d'un jacuzzi en extérieur. Les deux premières portaient des bikinis microscopiques, mais la dernière se planquait dans un vêtement en tissu-éponge.

Je reconnus aussitôt la scène et me penchai en avant. Mon corps clignotait sous mes yeux comme si je frissonnais. C'était la photo que j'avais faite à l'Institut Clayton. Je m'entendis lancer : « Photo de groupe ! » Quand Laurel s'était plainte qu'on ne la voyait pas, j'avais grimacé et répondu que je l'avais fait exprès.

Emma continuait à jeter des coups d'œil inquiets vers la porte. Elle passa à la photo suivante. Celle-ci avait été prise au même endroit, en extérieur et de nuit. Elle montrait Sutton courant après Laurel le long d'un chemin obscur.

J'avais crié : « Laurel ! Je t'achèterai un autre collier ! » Et quelques secondes plus tard, on avait plaqué un couteau sur ma gorge.

Lorsque la photo suivante apparut à l'écran, Emma fronça les sourcils. C'était un portrait de Laurel assise sur un gros rocher rouge. Le soleil se levait derrière elle. Autour du cou, elle portait un médaillon rond en argent. D'une main tremblante, Emma tira sur la chaîne du sien pour l'examiner. C'était le même.

– Oh, mon Dieu !

Nous avions chuchoté toutes les deux. Nous nous demandions toutes les deux pourquoi Laurel portait mon médaillon – le médaillon avec lequel quelqu'un m'avait étranglée. Se pouvait-il que… ?

Oui, ça se pouvait. Après tout, j'avais jeté son collier au fond des bois. Tout de même... Ça n'avait pas de sens. Pourquoi ma propre sœur aurait-elle voulu me tuer ? De toute évidence, je n'avais pas été très gentille avec elle de mon vivant, mais quand même !

La poignée de la porte tourna. Emma lâcha l'iPhone, qui atterrit dans un tas de serviettes à l'instant où Madeline entrait. Elle avait renfilé son jean skinny, sa tunique rayée et son ceinturon.

– Je suis juste venue chercher... oh.

Son regard se posa sur l'iPhone tombé par terre.

– Je venais juste de le remarquer. (Emma s'efforça de sourire malgré ses boyaux noués.) J'allais te courir après pour te le rapporter.

Madeline ramassa son téléphone et le glissa dans sa poche.

– Merci.

Elle dévisagea Emma, qui retint son souffle. Puis elle fit volte-face et rouvrit la porte

– On se voit demain au lycée.

Elle sortit, ses longs cheveux se balançant dans son dos. Soulagée, Emma s'assit sur le bord de la baignoire en faisant tourner le médaillon de Sutton entre ses doigts.

J'étais de plus en plus paumée. Toute cette histoire ressemblait décidément à un bain de boue. Plus ma sœur plongeait profond, plus ça devenait sombre et répugnant.

23

JE CONNAIS UNE FILLE
QUI A ÉTÉ TRÈS, TRÈS VILAINE...

— Ainsi, vous le voyez, Médée était obligée de tuer ses enfants, expliqua Mme Frost le mardi en faisant les cent pas devant sa classe telle une avocate de la défense qui tente d'épargner la peine capitale à sa cliente. C'était le seul moyen pour elle de se venger de la trahison de son époux, Jason.

La tête penchée, les élèves prenaient des notes studieusement.

Soudain, Emma sentit quelque chose vibrer dans son sac. Elle tâtonna du bout des doigts jusqu'à ce qu'elle trouve la coque lisse de l'iPhone de Sutton. Une distraction serait la bienvenue. Son prof d'anglais interprétait l'histoire de Médée d'une façon plus que discutable, et avec une telle virulence qu'Emma se demandait si Mme Frost n'avait pas, elle aussi, été victime d'un époux infidèle.

– Mademoiselle Mercer ? aboya une voix.

Levant les yeux, Emma vit que Mme Frost se tenait juste devant son bureau. Elle agita son exemplaire corné de *Médée* sous le nez de la jeune fille.

– Lâchez immédiatement ce téléphone, ou je vous le confisque jusqu'à la fin de l'année.

Emma leva les deux mains.

– C'est bon, je me rends.

Le reste de la classe gloussa.

Par chance, la cloche sonna à cet instant, et le cours d'anglais était le dernier de la journée. Emma se dépêcha de sortir en consultant l'écran de l'iPhone pour voir qui avait appelé. Après tout ce temps et toutes ces découvertes, elle gardait encore un minuscule espoir que sa sœur cherche à la contacter.

Mais ce n'était qu'un e-mail de Mme Mercer. Sujet : « MENU DE TA SOIRÉE D'ANNIVERSAIRE ». Emma parcourut la liste de crudités, de hors-d'œuvre et de desserts. *Ça m'a l'air parfait,* commença-t-elle à taper. Puis elle remarqua la présence de cupcakes à la carotte. Elle avait toujours détesté les cupcakes à la carotte – les raisins secs qu'on y incorporait lui faisaient penser à des crottes de hamster. *Je préférerais des cupcakes rouge velours,* réclama-t-elle à la place.

Les couloirs du lycée grouillaient d'élèves qui fouillaient dans leur casier, et d'autres en tenue de sport qui se précipitaient à l'entraînement. Un groupe de filles qu'Emma ne connaissait pas se tenait près de la vitrine des trophées, chuchotant entre elles.

Emma jeta un rapide coup d'œil à la ronde. Son cœur faisait un bond chaque fois qu'elle apercevait des cheveux blonds qui auraient pu être ceux de Laurel, ou une silhouette de danseuse comme celle de Madeline. Toute la journée, elle avait évité la sœur et les amies de Sutton sous prétexte qu'elle devait bosser sur un projet photo pendant l'heure du déjeuner.

– Tu comptes encore photoshoper les portraits de l'Almanach pour faire un monosourcil à tous les élèves contre qui tu as une dent ? avait plaisanté Charlotte.

Emma avait également ignoré tous les textos et les messages instantanés reçus des autres filles. La seule perspective de les affronter lui donnait des démangeaisons. Pourquoi Laurel portait-elle le médaillon de Sutton sur cette photo ? Et pourquoi Madeline avait-elle pris la photo en question ? Était-ce une sorte de trophée ?

Emma se glissa dans les toilettes des filles pour se passer de l'eau sur le visage. Comme elle tendait la main pour prendre une serviette en papier dans le distributeur, quelqu'un lui toucha l'épaule. Elle glapit et fit volte-face.

– Holà ! (Nisha se tenait près d'elle devant les lavabos, un bras levé comme pour se protéger le visage.) Tu n'as pas la conscience tranquille, ou quoi ?

Emma se détourna et, d'une main tremblante, referma le robinet.

– Ah, c'est toi. Quoi de neuf ?

Nisha glissa une mèche derrière son oreille.

– Tu as déjà oublié ?

- Oublié quoi ?

Les mains sur les hanches, elle toisa Emma avec dédain.

– La décoration des casiers ? Le truc que font tous les capitaines d'équipe en début d'année ?

Emma cligna des yeux. Comment aurait-elle pu le savoir ?

Nisha poussa un grognement de dégoût.

– Certaines d'entre nous ne peuvent pas se taper tout le boulot seules, tu sais. Certaines d'entre nous ont des demandes d'inscription en fac à remplir.

Emma se redressa vivement.

– Moi aussi, je veux aller à la fac, se défendit-elle, indignée. À l'Université de Sud-Californie, plus précisément.

Nisha garda le silence un moment, comme si elle attendait la chute d'une blague. Puis elle éclata de rire.

– C'est le truc le plus drôle que j'aie entendu de toute la journée.

Poussant vigoureusement la porte des toilettes, elle prit la direction du vestiaire des équipes sportives. Emma la suivit.

Nisha marchait d'un pas vif, sa queue de cheval se balançant derrière elle et les poings serrés contre ses flancs. Elles descendirent l'escalier quatre à quatre et passèrent presque en courant devant Jason et Kendra, deux boutonneux qui se pelotaient tout le temps dans la petite alcôve sous les marches. Emma eut juste le temps de remarquer que la main de Jason avait disparu sous le T-shirt de sa copine.

Nisha entra en trombe dans le vestiaire. Ignorant les filles qui enfilaient des maillots de bain, des tenues d'escrime ou des jupes de pom-pom girls, elle fonça droit vers un bureau privé. Des piles de papier de travaux pratiques, de marqueurs Crayola, d'autocollants et de sable multicolore recouvraient presque entièrement une grande table à la surface rayée et abîmée. Un pot de paillettes rouges s'était renversé, répandant son contenu scintillant sur le sol. *On dirait du sang de fée,* songea Emma.

Vingt-cinq badges individuels, un pour chaque joueuse de l'équipe, avaient été disposés au milieu de la table. Le nom de Brooklyn Killoran était écrit en lettres-bulles roses et entouré d'étoiles autocollantes. Celui d'Isabella McSweeny, rédigé avec un marqueur dont l'encre brillait dans l'obscurité, se détachait sur un morceau de papier noir. Des fleurs jaillissaient de chaque lettre du prénom de Laurel, entouré d'arabesques.

Puis Emma remarqua le badge de Sutton, dont le nom avait été écrit en majuscules toutes simples sur un rectangle de papier blanc. Pas de paillettes, pas de peinture gonflante, pas d'autocollants… Son badge aurait aussi bien pu être celui d'une détenue dans un établissement pénitentiaire.

– J'ai presque fini, dit Nisha en saisissant le badge le plus proche d'elle – celui d'une fille nommée Amanda Pfeiffer. Mais tu peux m'aider à les accrocher aux casiers, si tu t'en sens capable.

– Tu les as faits quand ? s'enquit Emma.

– Ce week-end, répondit sa camarade en chassant une paillette de son poignet.

– Pourquoi tu ne m'as pas demandé de t'aider ?

Nisha la dévisagea un moment avant de partir d'un rire aigu.

– Comme si j'allais te demander de m'aider à faire quoi que ce soit.

Elle prit un badge d'un geste si brusque qu'elle fit rouler plusieurs crayons par terre.

Comme elle s'éloignait dans l'allée réservée aux joueuses de tennis, Emma remarqua quelques gouttes de faux sang mal nettoyé sur les murs et le sol. Le pied sur une des taches qui subsistaient, Nisha épingla son propre badge – elle avait écrit son nom en raquettes de tennis entrelacées – sur la porte de son casier.

Emma se mordit la lèvre.

– Je suis désolée pour ce qu'on t'a fait la semaine dernière.

Nisha se dirigea calmement vers le casier suivant pour y accrocher le badge de Bethany Howard.

– Peu importe, répliqua-t-elle sur un ton désinvolte.

– Tu ne le méritais pas, insista Emma.

Elle voulait ajouter que, peut-être, elle ne méritait pas non plus que Nisha lui attribue un uniforme taille fillette, mais elle ne voulait pas abuser.

Nisha coupa un morceau de scotch et pivota vers Emma, les yeux écarquillés.

– Votre faux sang débile a bousillé ma polaire préférée. (Elle braqua un index accusateur sur la poitrine d'Emma.) C'était celle de ma mère. J'ai dû la jeter à cause de vous.

Emma recula d'un pas, écrasant un protège-dents sous sa chaussure. Nisha écumait de rage, mais dans sa voix, elle n'avait pas entendu que de la fureur : elle avait entendu du chagrin.

Les épaules crispées et les lèvres pincées, Nisha paraissait si jeune et si fragile ! Emma se demanda comment sa mère était morte. C'était le genre de question qu'elle aurait posée autrefois. Beaucoup d'enfants placés en famille d'accueil avaient perdu au moins un parent. Et même si elle ignorait ce que Becky était devenue, Emma avait l'impression de faire partie du club. Parfois, elle en venait même à souhaiter que sa mère soit morte au lieu de l'avoir abandonnée volontairement.

Moi aussi, j'éprouvais un pincement de culpabilité. J'avais tenu pour acquises tant de choses qu'en réalité, j'étais très chanceuse d'avoir ! Autour de moi, tous mes proches avaient perdu quelqu'un, mais il me semblait que la mort ne pouvait pas me toucher personnellement. Comme j'avais eu tort...

Avec un soupir, Emma prit le badge si ordinaire de Sutton et l'épingla sur la porte de son casier. Il semblait encore plus pathétique à côté des badges joyeusement colorés qui l'entouraient.

Au bout d'un moment, Emma tira sur la poignée et examina de nouveau le contenu du casier de Sutton. Le blouson satiné était suspendu à un crochet. Une bouteille d'eau vide gisait compactée dans le fond. Il y avait une paire de chaussettes raidies par la sueur, roulées en boule sur l'étagère du dessus. Emma aurait bien voulu dire à Nisha qu'elle avait perdu sa mère, elle aussi.

Nisha continua à couper du scotch et à accrocher des badges en silence. Emma allait fermer le casier de Sutton quand elle se ravisa. Quelque chose formait une bosse dans la poche du blouson. Tendant la main, la jeune fille en sortit une serviette en papier pliée. À l'intérieur, elle trouva un message rédigé d'une écriture masculine peu soignée : *COUCOU LAUREL !* au-dessus d'un smiley qui louchait et dont la langue pendait hors de sa bouche. Dans sa main, il tenait une chope de bière. Le message était signé *THAYER.*

— Qu'est-ce que c'est ?

Emma fit volte-face. Nisha se tenait si près d'elle qu'Emma sentait son haleine parfumée aux pastilles de menthe. Elle voulut s'écarter et replier la serviette, mais Nisha avait déjà lu le message. Elle plissa les yeux.

— Alors en plus de tout le reste, tu voles le courrier de ta sœur ?

Emma cligna des yeux.

— Je...

Nisha agita un doigt.

— J'ai entendu dire que Laurel voulait te tuer à cause de ce que tu avais fait.

— Me tuer ? répéta Emma.

Elle repensa à la photo de Laurel portant le médaillon de Sutton qu'elle avait trouvé sur l'iPhone de Madeline.

Nisha la dévisageait attentivement. Une paillette collée à sa joue scintillait dans la lumière des néons.

— Ne fais pas l'idiote, Sutton. Tu savais que Laurel en pinçait pour lui.

Avant qu'Emma trouve quelque chose à répondre, Nisha tourna les talons et rebroussa chemin vers le bureau, laissant dans son sillage une traînée de paillettes rouges...

Et deux filles désespérées d'en apprendre davantage.

24

TOUTES LES FILLES CROIENT
QUE LEUR SŒUR VEUT LES TUER, NON ?

Le mercredi, après un nouvel entraînement de
tennis durant lequel elle ne s'était pas distinguée,
Emma s'assit sur le lit de Sutton avec un carnet de
notes et un crayon à papier. *À la une aujourd'hui,*
écrivit-elle. *Une fille essaie de trouver l'assassin de sa
jumelle. Les recherches l'épuisent.*

Elle laissa tomber le crayon sur le matelas et ferma
les yeux. Elle avait espéré que présenter sa situation
sous la forme d'un gros titre l'aiderait à prendre du
recul et à accepter, mais non. Rien dans cette histoire
n'était acceptable ni même normal.

Au lieu de ça, Emma dressa une nouvelle liste des
amies de sa sœur et le mobile que chacune d'elles
aurait pu avoir pour la tuer. Elle en était déjà à sa
dixième version ; les neuf précédentes avaient été

gribouillées dans ses cahiers, froissées et jetées à la poubelle ou rédigées en langage SMS sur l'iPhone de Sutton. Quelle ironie, hein ?

Le problème, c'est que chacune des membres du Jeu du Mensonge avait des raisons de lui en vouloir : Charlotte, parce que Sutton lui avait piqué Garrett ; Laurel, parce que Sutton avait... fait quelque chose à Thayer. Était-ce aussi cela qui avait retourné Madeline contre Sutton ?

Le portable d'Emma bipa dans sa cachette sous le lit. Mettant son carnet de côté, la jeune fille se pencha pour le ramasser. À présent qu'elle était habituée à utiliser un iPhone, son BlackBerry lui paraissait vieux et moche, comme si elle venait de croiser un bâtard dans la rue après avoir passé trop de temps avec des chiens de pure race.

Alex lui avait envoyé un texto : *Tout va bien à Sister Land ?*

Oui, tapa Emma. Mentir ne la dérangeait même plus. Alex et elle avaient échangé quelques messages durant la semaine écoulée, et Emma ne lui avait rien révélé de ce qui se passait vraiment. Pour ce qu'en savait son amie, Emma séjournait chez les Mercer le temps que Sutton et elle apprennent à se connaître, comme dans un conte de fées.

Une réponse lui parvint presque immédiatement. *Et les affaires que tu as laissées à la consigne ? Tu retourneras les chercher, ou tu veux que je te les envoie ?*

Emma se laissa retomber sur le lit en grimaçant. Elle ne savait absolument pas quoi faire de ces affaires – en particulier de l'argent. *Elles peuvent rester là-bas pour le moment,* tapa-t-elle.

La porte de la chambre s'ouvrit lentement. Emma fourra le BlackBerry sous un oreiller et roula sur elle-même. Laurel se tenait sur le seuil de la pièce. Derrière elle, Mme Mercer portait un panier à linge dans ses bras.

– Qu'est-ce que tu fais ? demanda Laurel en s'approchant d'elle.

Les joues d'Emma s'empourprèrent.

– Tu pourrais frapper avant d'entrer !

Laurel se décomposa.

– Désolée.

– Sois gentille, Sutton, morigéna Mme Mercer.

Elle se dirigea vers la commode de Sutton et laissa tomber près de la télé une pile de vêtements propres, parmi lesquels Emma aperçut sa robe rayée. Elle voulut remercier Mme Mercer – ça faisait des années que personne n'avait fait sa lessive pour elle –, mais quelque chose lui disait que la mère de Sutton s'occupait de son linge tout le temps.

Quand Mme Mercer sortit de la chambre, Laurel resta. Emma lissa ses cheveux derrière ses oreilles. Elle avait les veines remplies d'adrénaline, et ses mains tremblaient. Elle ne pouvait penser qu'à une chose : la photo de Laurel portant le médaillon de Sutton.

– Qu'est-ce que tu veux ?

– Je voulais savoir si tu étais toujours d'accord pour aller chez M. Pinky, répondit Laurel en joignant les mains à hauteur de sa taille. Pour cette manucure dont on avait parlé.

Emma fixa sans le voir le fauteuil rose et blanc en forme d'œuf dans un coin de la pièce. Les chaussettes et les bikinis que Sutton avait laissés là avant sa mort y étaient toujours ; Emma n'avait pas eu le cœur de les ranger.

La veille, après le commentaire évasif de Nisha, elle s'était connectée au profil Facebook de Sutton pour fouiller la page de Laurel une fois de plus. Elle avait déjà compris que la jeune fille était amie avec Thayer, mais elle n'avait pas deviné que Laurel avait le béguin pour lui. En y regardant mieux, ça lui avait paru évident. Dans toutes les photos de groupe, Laurel se tenait près de Thayer. Dans celle où Thayer riait avec Charlotte, Laurel observait le jeune homme, un peu en retrait. Sur une vidéo YouTube, on pouvait voir Laurel danser le tango avec Thayer pendant un bal du lycée. Chaque fois qu'il la renversait en arrière, un sourire ravi illuminait le visage de la jeune fille – le sourire de quelqu'un qui voulait plus que de l'amitié.

Mais en mai, un mois avant la fugue supposée de Thayer, les messages de mur à mur entre lui et Laurel avaient brusquement cessé, et plus personne n'avait posté de photos des deux jeunes gens ensemble. C'était comme si quelque chose – ou quelqu'un – les avait séparés.

Ne fais pas l'idiote, Sutton, avait dit Nisha. *Tu savais que Laurel en pinçait pour lui.* Et il y avait cette entrée dans le journal de Sutton, à la date du 17 mai : *L ne se remet pas d'avoir perdu T. Reprends-toi, ma vieille. C'est juste un mec !* « T » comme « Thayer », évidemment. Mais cela n'expliquait pas ce qui s'était passé au juste.

Et ce n'était pas comme si je m'en souvenais. J'espérais que je n'avais pas sciemment blessé ma petite sœur, mais en réalité, je n'en savais rien.

Emma regarda Laurel saisir un flacon de parfum sur la coiffeuse de Sutton et le renifler. Elle souriait gentiment, comme si elle était incapable de la moindre méchanceté. Emma repensa à la grue en origami qu'elle avait déposée près de son assiette la semaine précédente. Peut-être était-elle en train de se livrer à des conclusions hâtives – et erronées.

Même si Nisha n'avait pas menti, le fait que Laurel avait dit qu'elle voulait tuer Sutton ne signifiait pas qu'elle était passée à l'acte. *Parfois, les gens disent des choses sans les penser vraiment.* Et Laurel avait peut-être une bonne raison de porter le médaillon de sa sœur sur cette fameuse photo – le médaillon désormais pendu au cou d'Emma.

– D'accord, laisse-moi juste enfiler un jean, décida Emma.

Laurel rayonna.

– Je t'attends en bas.

Comme elle se dirigeait vers la porte, son regard se posa sur le lit, et elle écarquilla les yeux.

– C'est quoi, ça ?

Emma suivit la direction de son regard et paniqua. Son carnet gisait ouvert sur le couvre-lit. *Une fille étranglée dans un manoir. On soupçonne ses amies,* avait-elle écrit sur la page en évidence. Très vite, elle s'empara du carnet et le cacha avec sa main.

– C'est juste un projet pour le lycée.

Laurel fronça les sourcils.

– Tu ne fais *jamais* de projets pour le lycée.

Secouant la tête, elle sortit. Mais avant de descendre l'escalier, elle jeta un dernier coup d'œil à Emma.

De là où je me trouvais, difficile de dire si elle était juste perplexe ou s'il y avait autre chose.

M. Pinky était un tout petit salon de beauté situé dans les collines, au cœur d'un complexe qui abritait également une boutique de yaourts organiques, une crèche pour chats et un institut dont la vitrine promettait des « Irrigations ultimes du côlon ! Perdez trois kilos en cinq minutes ! ». Du moins Laurel ne l'avait-elle pas traînée là.

La déco de M. Pinky faisait penser à une version ultra-chic de *Star Trek*. Toutes les esthéticiennes portaient des combinaisons d'aviateur moulantes soi-disant très à la mode. Emma trouvait qu'elles semblaient sur le point de monter à bord d'un vaisseau spatial pour mettre le cap sur la nébuleuse du Crabe.

Les deux filles se laissèrent tomber sur un canapé gris design pour attendre leur tour.

– Alors, prête pour ta soirée ? demanda Laurel en sortant un tube de baume à lèvres dont elle appliqua une couche généreuse sur sa bouche.

– Je suppose que oui, mentit Emma.

Quand elle était rentrée de l'entraînement de tennis ce jour-là, d'autres cartons de réponse attendaient sur le lit de Sutton. *J'ai hâte !* ou *Ça va être la meilleure soirée de l'année*, avaient griffonné les invités.

– J'espère bien. (Laurel lui donna un coup de coude taquin.) Tu te prépares depuis si longtemps ! Garrett t'a dit ce qu'il allait t'offrir ?

Emma secoua la tête.

– Non, pourquoi ? Tu le sais, toi ?

Le sourire de Laurel s'élargit.

– Non, mais j'ai entendu des rumeurs...

Emma enfonça ses ongles dans le tissu du canapé. Pourquoi ce cadeau était-il si important ?

Des séchoirs à ongles bourdonnaient à travers la pièce. Une odeur de dissolvant et de lotion à l'aloe vera flottait dans l'air. Plongeant la main dans son sac, Emma toucha la serviette sur laquelle Thayer avait écrit. La nervosité lui noua l'estomac. Elle comptait la donner à Laurel après leur manucure, mais elle ne pouvait pas attendre davantage.

– Laurel ?

La jeune fille leva les yeux et lui sourit. Emma déposa la serviette sur le coussin entre elles.

– J'ai trouvé ça dans mon casier de tennis.

Un pli se forma entre les sourcils de Laurel comme elle détaillait le smiley ivre dessiné par Thayer. Machinalement, elle fit tourner son index dans un petit trou de son jean. Celui-ci s'agrandit avec un bruit de déchirure.

– Oh, souffla Laurel.

– Je suis vraiment désolée, dit Emma d'une voix tremblante. Je ne sais pas comment il est arrivé là.

Ce qui, techniquement, n'était pas un mensonge.

Laurel froissa la serviette entre ses mains et fixa sans les voir les flacons de vernis disposés sur un présentoir dans l'ordre des couleurs de l'arc-en-ciel.

Emma agrippa l'accoudoir un peu plus fort. Laurel allait-elle exploser ? Se mettre à hurler ? Tenter de la frapper avec des ciseaux ?

– Pas grave, lâcha-t-elle finalement. Ce n'est pas comme si je n'avais pas un million d'autres messages identiques dans ma chambre.

Puis elle sortit calmement son iPhone et consulta ses mails.

– Il te manque ? ne put s'empêcher de demander Emma.

Laurel continua à taper.

– Évidemment, répondit-elle d'une voix égale, sans manifester plus d'émotion que si elles étaient en train de parler de la différence entre le beurre de cacahuète crémeux et le croquant. (Du menton, elle désigna la bouteille de Snapple qu'Emma avait prise dans le frigo des Mercer.) Je peux t'en piquer une gorgée ?

Emma haussa les épaules, et Laurel but longuement au goulot. Dès qu'elle reposa la bouteille sur la table basse devant elle, une secousse parcourut ses épaules. Sa tête partit en arrière, et elle s'affaissa sur le canapé. Portant les mains à sa gorge, elle regarda Emma avec des yeux exorbités, terrifiés.

– Je... n'arrive pas à...

Emma se leva d'un bond.

– Laurel ?

La jeune fille émit un bruit étranglé. Une nouvelle secousse parcourut tout son corps. Ses cheveux blonds se déployèrent sur les coussins, et sa main droite se crispa.

– Laurel ? cria Emma. Laurel ?

Elle la prit par les épaules pour la secouer.

Les paupières de la jeune fille se fermèrent. Sa mâchoire inférieure pendait mollement sur sa poitrine. La main qui tenait son iPhone s'ouvrit lentement, et l'appareil tomba sur la moquette.

– Au secours ! appela Emma.

Elle se pencha pour écouter la respiration de Laurel, mais aucun souffle ne s'échappait des lèvres de celle-ci. Elle posa deux doigts sur son poignet. Ouf, on sentait encore un pouls.

– Réveille-toi, supplia-t-elle en la secouant.

La tête de Laurel ballottait comme celle d'une poupée de chiffon. Ses gros bracelets tintèrent à son poignet.

Emma se redressa et promena un regard paniqué à la ronde. Une cliente noire les observait depuis un fauteuil de pédicurie, le dernier *Vogue* ouvert sur ses cuisses. Une petite femme hispanique se précipita.

– Qu'est-ce qu'elle a ?

– Je ne sais pas, gémit Emma.

– Elle est enceinte ?

– Je ne crois pas.

– Hé, appela la femme en secouant le bras de Laurel. Hé ! lui cria-t-elle à la figure en lui assenant une gifle retentissante.

Emma approcha de nouveau son oreille de la bouche de la jeune fille. Elle tenta de se remémorer la technique du bouche-à-bouche, apprise pendant la formation de baby-sitter qu'elle avait suivie en sixième. Fallait-il d'abord pincer le nez puis souffler dans la bouche de la victime, ou l'inverse ?

Quelque chose de froid et de mouillé lui toucha le lobe de l'oreille. Emma se redressa, alarmée. Était-ce... une langue ? Elle dévisagea Laurel, qui ouvrit brusquement les yeux.

— Bouh !

Emma hurla, et Laurel explosa de rire.

— Je t'ai bien eue ! Tu as cru que j'étais morte !

La dame émit un claquement de langue désapprobateur.

— Nous avons tous cru que vous étiez morte, s'offusqua-t-elle. C'est quoi, votre problème ?

Elle s'éloigna à grands pas furieux en secouant la tête.

Emma se rassit sur le canapé. Son cœur était comme un drapeau follement agité par le vent. Laurel rajusta son T-shirt tandis que ses joues rosissaient.

— Tu as été la meilleure des profs. Mais franchement, je ne pensais pas t'avoir avec un truc aussi grossier !

Puis elle se leva, remit la bandoulière de son sac sur son épaule et se dirigea vers le présentoir pour choisir la couleur de son vernis.

Emma regarda s'éloigner son dos mince. La tête lui tournait. *C'était une façon originale de changer de sujet si elle ne voulait pas parler de Thayer.* Mais quelque chose la tracassait. Une fille dont la sœur aînée avait gâché ses chances de sortir avec le garçon qui lui plaisait ne se contentait pas d'en rire et de jouer un mauvais tour à la sœur en question. Si quelqu'un avait fait ce genre de chose à Emma, elle lui aurait crié dessus. Elle aurait cherché à lui rendre la monnaie de sa pièce — à se venger.

Emma releva la tête. La lumière des néons lui brûlait le cuir chevelu. Elle voyait bien une raison pour laquelle la colère de Laurel avait pu retomber.

La même pensée me traversa l'esprit au même moment. Et si Laurel s'était déjà vengée ?

25

Un ajout de dernière minute
à la liste des invités

— J'aimerais faire une proposition, Pat, dit à la télé une mère de famille qui souriait constamment. (Le tableau de *La Roue de la Fortune* apparut à l'écran. Dans la catégorie « Activité », toutes les lettres avaient été trouvées, sauf une.) « Cueillir des fleurs des champs » ?

Une musique triomphante éclata tandis que Vanna, la co-présentatrice, faisait tourner la dernière lettre. La candidate se mit à faire des bonds sur place, ravie d'avoir gagné neuf cents dollars.

Il était tard le jeudi soir. Emma regardait une rediffusion de *La Roue de la Fortune* sur la chaîne réservée aux jeux. Elle faisait toujours ça quand elle avait besoin de se calmer. Ça lui rappelait l'époque où elle suivait l'émission avec Becky, vautrées toutes les deux sur le vieux fauteuil inclinable. Elle sentait presque l'odeur des hamburgers rapportés du Burger King, entendait presque sa mère crier les réponses et critiquer la robe de bal pailletée de Vanna.

Mais à présent, Emma regardait la roue tourner à l'écran, et la seule chose à laquelle elle pensait, c'est que cette roue ressemblait à une métaphore de sa vie. Risque ou récompense. Une jumelle avait eu la belle vie tandis que l'autre héritait d'une existence minable. Une jumelle était morte tandis que l'autre continuait à vivre. À présent, la survivante pouvait soit s'en prendre à la personne qui avait tué sa sœur – elle en était presque certaine –, soit s'éclipser en douce.

Laurel avait tué Sutton. Cette phrase se répétait en boucle dans sa tête toutes les deux ou trois secondes, et chaque fois, elle l'effrayait comme si Emma venait juste de s'en rendre compte. Elle était quasiment sûre d'elle. Jusque-là, les indices avaient plutôt désigné Charlotte, mais désormais, Laurel semblait la seule coupable possible.

En rentrant du salon de beauté, Emma avait cherché des preuves. Tout concordait. Sutton avait réglé son profil Facebook sur « Connexion automatique », ce qui signifiait que Laurel n'aurait eu qu'à s'introduire discrètement dans la chambre de sa sœur pour trouver le message d'Emma et lui répondre en se faisant passer pour Sutton.

Et puis, il y avait le message soi-disant découvert sous les essuie-glaces de la Jetta de Laurel. Mis à part la tache de pollen dans un coin, le papier ne présentait pas la moindre marque, pas la plus petite salissure due à un frottement de caoutchouc. Sans compter qu'Emma ne l'avait jamais vu sur le pare-brise de la voiture. Laurel avait très bien pu mentir. *Si ça se trouve, elle venait de le sortir de son sac.*

Laurel était également chez Charlotte le jour de la soirée pyjama. Apparemment assoupie sur le canapé près d'Emma, elle avait très bien pu la voir se lever, descendre à sa suite et l'étrangler avec le médaillon de Sutton – ce médaillon qu'elle portait sur la photo enregistrée dans l'iPhone de Madeline, et qui pendait maintenant au cou d'Emma.

Je passai en revue le peu de souvenirs que je possédais. Je me revis m'emporter pour pas grand-chose et jeter le collier de Laurel dans les bois. Je revis l'expression dévastée de ma sœur. Je sentis des mains me saisir à la gorge et me jeter dans le coffre d'une voiture – un coffre minuscule comme celui d'une Jetta.

Et d'un autre côté, je ne pouvais m'empêcher de repenser à cette brève vision de Laurel et moi gloussant ensemble à la piscine de La Paloma. Nous nous tenions par la main. Nous nous entendions bien. Qu'est-ce qui avait pu nous séparer ? Pourquoi n'avais-je pas tenté d'arranger les choses entre nous ? Je ne voulais pas croire qu'elle ait pu m'assassiner. Et les cheveux roux que j'avais aperçus à travers mon bandeau quand mon agresseur m'avait sortie du coffre ? Mes yeux m'avaient-ils joué un tour ?

Emma se leva et se mit à faire les cent pas dans la pièce. Elle n'avait pas de preuve concrète, mais la vidéo de strangulation devait avoir été tournée la nuit du décès de Sutton. Ça paraissait logique. Quand Laurel avait ôté le bandeau de Sutton et découvert qu'elle n'était pas morte, elle avait très bien pu finir le boulot en utilisant son collier. Auquel cas, le meurtre véritable se serait produit après l'arrêt de la caméra.

Si seulement la vidéo était toujours en ligne... Elle suffirait pour faire comprendre à la police qu'Emma ne mentait pas. La jeune fille se demandait tout de même qui avait bien pu la mettre sur Internet. Pourquoi la meurtrière aurait-elle rendu public un document susceptible de la condamner ? À moins, évidemment, qu'elle ne l'ait fait pour attirer l'attention d'Emma. Peut-être avait-elle découvert que sa sœur adoptive avait une jumelle. Peut-être espérait-elle qu'Emma verrait la vidéo et se manifesterait. Ce qui avait été le cas.

Le plan de Laurel avait marché à la perfection.

Emma posa ses paumes sur le mur blanc et lisse. De la musique étouffée résonnait dans la chambre voisine – celle de Laurel. Pour ce qu'Emma en savait, cette dernière était peut-être en train de planifier la suite des événements. Elle se dirigea vers la télé et l'éteignit. Tout à coup, il lui semblait dangereux de rester dans le voisinage de l'assassin. Elle se sentait prisonnière dans cette chambre, prisonnière dans la vie de sa jumelle morte.

Ouvrant la porte d'un geste brusque, elle dévala l'escalier. Elle traversait le vestibule quand quelqu'un se racla la gorge derrière elle.

– Où vas-tu comme ça ?

Emma pivota. Assis dans le bureau qui donnait sur le vestibule, M. Mercer tapait sur un ultra-portable. Il avait un écouteur Blue Tooth dans l'oreille.

– Euh, je vais me promener, balbutia Emma.

M. Mercer lui jeta un coup d'œil par-dessus ses lunettes.

– Il est plus de 21 heures. Je n'aime pas que tu traînes seule dehors trop longtemps après la tombée de la nuit.

L'ébauche d'un sourire releva les coins de la bouche d'Emma. Ses parents d'accueil ne se souciaient guère de ses allées et venues. Ils ne s'inquiétaient jamais pour sa sécurité. Même Becky la laissait se balader seule la nuit : quand elles dormaient dans un motel, elle envoyait Emma lui chercher du soda et des biscuits salés en forme de poisson dans les distributeurs de friandises.

D'un autre côté, ce n'était pas pour Emma que M. Mercer se faisait du souci : c'était pour sa fille Sutton. Sachant que celle-ci était loin d'être en sécurité, et que c'était probablement la faute de son autre fille Laurel, Emma ne put soutenir son regard. Elle devait absolument foutre le camp d'ici.

Avisant la raquette de tennis de Sutton contre la porte de la penderie, elle s'en saisit et déclara :

– J'ai besoin de travailler mon service.

– D'accord, capitula M. Mercer en reportant son attention sur l'écran de son ultra-portable. Mais je veux que tu sois rentrée dans une heure. Nous devons encore discuter du règlement pour ta soirée.

– Pas de problème.

Emma claqua la porte derrière elle et s'en fut au pas de course le long de la rue. Tous les voisins avaient sorti leurs grosses poubelles vertes, si bien qu'une désagréable odeur de couches pleines et de légumes pourrissants planait dans l'air. Plus elle s'éloignait de chez les Mercer, plus Emma se sentait en sécurité.

Elle s'arrêta près du parc. Au loin, elle aperçut une silhouette familière allongée, les membres en étoile sur un des courts de tennis. Son cœur se gonfla.

– Ethan ? appela-t-elle.

Entendant son nom, le jeune homme se releva d'un bond.

– C'est Sutton.

– Quelle coïncidence...

Il faisait trop noir pour qu'elle voie son visage, mais Emma crut entendre dans sa voix qu'il était content de la voir. Soudain, elle se sentit beaucoup mieux.

– Je peux venir ? demanda-t-elle.

– Bien sûr.

Elle poussa la porte grillagée sans mettre de pièces dans l'appareil pour allumer les projecteurs. Elle sentit le regard d'Ethan posé sur elle tandis qu'elle se dirigeait vers le filet et s'allongeait près de lui. Le court avait conservé une partie de la chaleur de la journée ; il sentait vaguement l'asphalte tiède et le Gatorade renversé.

Au-dessus des deux jeunes gens, les étoiles brillaient tels des morceaux de quartz incrustés dans un trottoir. Celles qu'Emma avait baptisées Maman, Papa et Emma se trouvaient toujours un peu au-dessous de la lune. La jeune fille trouvait frustrant qu'après les événements de la dernière semaine, elles soient toujours exactement au même endroit, comme si elles se riaient de ses vaines luttes terrestres.

282

Ses yeux se remplirent de larmes. Tous les plans qu'elle avait échafaudés dans le bus pour Tucson lui semblaient désormais ridicules. Elle avait cru naïvement que Sutton et elle s'éclateraient ensemble, et maintenant...

– Tu vas bien, Sylvia Plath ? la taquina Ethan.

L'air avait fraîchi. Emma serra ses bras contre elle pour se tenir chaud.

– Pas trop, avoua-t-elle.

– Qu'est-ce qui t'arrive ?

Elle passa la langue sur ses lèvres.

– Misère..., soupira-t-elle. Chaque fois que je te vois, je me conduis comme une cinglée.

– Pas grave. J'aime bien les cinglées, répondit gentiment Ethan.

Emma secoua la tête. Elle ne pouvait pas lui raconter ce qui se passait vraiment, même si elle en mourait d'envie. Alors, elle se contenta de lancer :

– C'est mon anniversaire demain. J'organise une soirée.

– C'est vrai ? (Ethan se dressa sur un coude.) Joyeux anniversaire, alors.

– Merci.

Emma sourit dans l'obscurité.

Elle suivit du regard la trajectoire d'un avion qui fendait lentement le ciel nocturne. Sur beaucoup de points, ce serait sans doute son plus bel anniversaire. La plupart du temps, elle ne le fêtait pas. Elle avait passé le jour de ses seize ans dans le bureau d'une assistante sociale, à attendre qu'on lui attribue une nouvelle famille d'accueil. Le jour de ses onze ans, elle était au campement avec les autres fugueurs.

La seule fois qu'elle avait fait quelque chose de spécial pour son anniversaire, c'était quand Becky l'avait emmenée à un festival médiéval qui avait lieu près de chez elles. Emma était montée sur le dos d'un âne qui l'avait promenée en cercle ; elle avait mangé une cuisse de dinde rôtie et confectionné un blason en papier vert fluo et turquoise, ses couleurs préférées de l'époque. Sur le chemin du parking, alors qu'elles s'apprêtaient à rentrer, elle avait demandé à sa mère si elles pourraient revenir pour son prochain anniversaire. Mais le 10 septembre suivant, Becky avait disparu.

Emma scrutait le ciel. Un nuage passa devant la lune, la dissimulant l'espace de quelques minutes.

– Tu viendras ?

– Je viendrai où ?

– À ma soirée. Enfin, si tu n'as rien prévu d'autre. Et si tu as envie.

Elle se mordilla le pouce. Son cœur battait plus vite dans sa poitrine, comme si elle venait de poser une question très importante pour elle.

La lune éclairait le profil anguleux d'Ethan. Emma attendit patiemment qu'il se décide. *S'il te dit non, ne le prends pas mal,* s'exhorta-t-elle.

– D'accord, finit par répondre Ethan.

L'estomac d'Emma fit la culbute.

– C'est vrai, tu viendras ?

– Oui. Pas de problème.

– Génial. (La jeune fille se fendit d'un large sourire.) Tu seras donc la seule personne normale.

Ethan rit doucement.

– N'en sois pas si sûre. Je crois qu'aucun d'entre nous n'est normal. Je veux dire... on a tous des secrets plus ou moins fous.

– Ah oui ? Et quel est le tien ? gloussa Emma.

Ethan marqua une pause théâtrale avant de révéler :

– Je suis raide dingue de Frau Fenstermacher.

Emma ricana.

– C'est bien compréhensible : elle est *tellement* sexy !

– Ouais. Elle me fait complètement craquer.

– Bonne chance. J'espère que vous serez très heureux ensemble.

– Merci.

Comme Ethan se rallongeait, sa main toucha celle d'Emma. La jeune fille tourna la tête sur le côté et baissa les yeux. Leurs deux petits doigts se frôlaient à peine. Au bout d'un moment, Ethan enroula son index autour de celui d'Emma et serra brièvement avant de le lâcher.

Soudain, dans la nuit qui les rapprochait et les protégeait, le monde fou et dangereux d'Emma lui parut aussi lointain que les étoiles.

26

UN VISAGE DU PASSÉ

Plink. Plink. Plink.

Quelques heures plus tard, Emma s'éveilla d'un sommeil sans rêves et regarda autour d'elle. D'où venait ce bruit ?

Plink.

Elle pivota vivement vers la fenêtre qui donnait sur le devant de la maison. Un gravillon ricocha sur la vitre et retomba sur le sol.

Emma se précipita vers la fenêtre et scruta le jardin en contrebas. Une silhouette se découpait dans la lumière du porche. La jeune fille se frotta les yeux.

– Maman ? s'écria-t-elle, incrédule.

Ce fut à peine si elle sentit l'escalier sous ses pieds comme elle dévalait les marches quatre à quatre. La porte d'entrée craqua quand elle l'ouvrit à la volée et sortit. Becky se tenait au milieu de l'allée, près de la voiture de Laurel.

Bouche bée, je contemplai la nouvelle venue. C'était la première fois que je voyais notre mère. Elle avait des cheveux brun foncé, mi-longs et soyeux. Ses yeux semblaient bleu-vert. Elle était mince, presque *trop* mince. Elle portait un jean baggy troué au genou et un T-shirt délavé marqué « RESTAURANT LA PALOURDE PLACIDE ». Si je l'avais croisée dans la rue, je ne me serais pas retournée. Je n'éprouvais rien pour elle, pas de connexion instantanée. Je me sentais totalement détachée, comme si cette scène n'était pas réelle.

Mais lorsque Emma voulut étreindre Becky, ses bras lui passèrent au travers. Elle recula en clignant des yeux.

– Maman ?

Elle tenta de toucher Becky. Celle-ci semblait aussi intangible qu'un nuage de vapeur. Emma palpa son propre visage pour s'assurer qu'elle était toujours solide.

– Que se passe-t-il ?

– Ce n'est pas ce que tu crois, ma chérie, répondit la femme avec une voix rauque de fumeuse. Tu dois être prudente. Et discrète, aussi. Les choses ne vont pas tarder à devenir très dangereuses.

– Qu-que veux-tu dire ? bredouilla Emma.

– Chut !

– Mais...

Becky s'avança et pressa une main sur la bouche d'Emma. Une main qui parut tout à fait concrète à la jeune fille.

– Fais-le pour moi.

Soudain, je fus assaillie par un souvenir. J'entendis dans ma tête la même voix forte et claire me dire : « Fais-le pour moi ». Du moins, il me sembla que c'était la même. En revanche, je ne savais pas si elle s'adressait à moi ou à quelqu'un d'autre. Alors que je luttais pour voir le visage de la personne qui venait de parler, mon souvenir s'évapora.

Emma ouvrit brusquement les yeux.

Une fois de plus, elle se trouvait dans la chambre de Sutton. La brise agitait les rideaux. Le verre d'eau qu'elle avait rempli avant de se coucher était toujours sur sa table de chevet. Elle avait encore la tête pleine de son rêve.

Elle se redressa, et sa vision s'éclaircit. Une silhouette la toisait. *Becky ?* pensa-t-elle immédiatement. Mais cette personne était blonde, pas brune. Elle avait un nez en trompette et des taches de rousseur sur les joues.

Emma plongea son regard dans les prunelles vert tourmaline de Laurel. La main de cette dernière se plaqua étroitement sur sa bouche.

– Ne te laisse pas faire ! Appelle au secours ! hurlai-je.

Je doute qu'Emma m'entendît, mais elle eut le bon réflexe. Repoussant ses draps d'une ruade, elle abattit le tranchant de ses deux mains au creux des coudes de Laurel.

Quelques secondes plus tard, la porte de la chambre s'ouvrit à la volée, et les Mercer firent irruption dans la pièce. M. Mercer était torse nu. Mme Mercer portait un pantalon de pyjama à carreaux et un caraco en dentelle. Drake les rejoignit d'un bond et poussa quelques aboiements brefs.

— Que se passe-t-il ? s'enquit M. Mercer.

— Laurel essaie de me tuer ! s'époumona Emma.

— Quoi ?

La jeune fille recula précipitamment, comme si le lit était en feu.

Emma se traîna à reculons jusqu'à sa tête de lit, contre laquelle elle se pressa tandis que de gros sanglots secouaient sa poitrine.

— Elle essayait de m'étouffer.

Laurel poussa un glapissement indigné.

— Pas du tout ! (Elle désigna le réveil posé sur la table de chevet. L'affichage digital indiquait 00 : 01 en chiffres rouges.) Je voulais juste être la première à te souhaiter un bon anniversaire !

— Ne nie pas, répliqua Emma en serrant les draps contre sa poitrine. Je t'ai vue !

— Sutton, ma chérie, jamais Laurel ne ferait une chose pareille, dit gentiment M. Mercer.

— Tu as dû faire un cauchemar, ajouta Mme Mercer en se frottant les yeux. Tu t'inquiètes peut-être pour ta soirée.

— M'inquiéter pour une vulgaire soirée ? aboya Emma. (Elle tendit un doigt accusateur vers Laurel.) Elle. A. Essayé. De. Me. Tuer.

Mais les Mercer conservèrent leur expression mi-dubitative, mi-ensommeillée.

— Tu devrais descendre à la cuisine boire un verre de lait, suggéra Mme Mercer.

Puis, étouffant un bâillement, ils sortirent de la chambre. Drake et Laurel les suivirent. Mais avant de disparaître dans le couloir, la jeune fille fit volte-face et planta son regard dans celui d'Emma. Elle avait les yeux plissés et les coins de la bouche abaissés.

Le sang d'Emma s'embrasa dans ses veines. Elle repensa à ce que Becky lui avait dit en songe. « Les choses ne vont pas tarder à devenir très dangereuses. »

Les paroles de Becky tourbillonnaient aussi dans ma tête. Vous parlez d'un rêve devenu réalité !

27

JOYEUX ANNIVERSAIRE !
MAINTENANT, MEURS.

– Et voilà la reine du jour ! s'écria Madeline.

Vêtue d'une robe de soirée argentée, elle traversa le patio en titubant sur les talons aiguilles de ses escarpins bleu électrique. Une couronne de papier alu lui ceignait le front ; elle posa sur la tête d'Emma une couronne presque identique, à cela près qu'un gros « 18 » se détachait sur le devant en chiffres roses.

– Souriez !

Charlotte se précipita vers ses amies. Elle portait une mini-robe rayée et des espadrilles. Se pressant contre Emma, elle tendit un appareil numérique à bout de bras. Au moment où le flash se déclenchait, Laurel bondit dans le cadre, passa un bras autour des épaules d'Emma et découvrit ses dents en un large sourire.

– Cheese ! s'exclama-t-elle avec un peu trop d'enthousiasme.

Ses dents étaient aussi blanches que la tunique en voile qu'elle avait enfilée par-dessus des leggings noirs. Emma s'efforça de sourire mais ne réussit qu'à prendre un air vaguement effrayé.

Les amies de Sutton se séparèrent et entonnèrent une nouvelle fois « Joyeux anniversaire ! ». Charlotte hurlait à tue-tête ; Madeline roucoulait comme Marilyn Monroe face à JFK, et Laurel chantait d'une voix douce, innocente. Instinctivement, Emma s'écarta d'elle.

Il était 21 : 00, et la soirée d'anniversaire de Sutton battait son plein. Un DJ officiait sur la table de jardin, près du gril. Une foule d'adolescents se balançaient et tournoyaient sur la piste de danse. Les joueuses de l'équipe de tennis faisaient circuler des plateaux de canapés. Mme Mercer avait accroché des guirlandes lumineuses aux minuscules ampoules roses tout autour du patio et rempli des saladiers de sangria sans alcool.

Deux douzaines d'appareils numériques bon marché étaient éparpillés à travers le jardin. Près de la porte, trois ordinateurs portables équipés de cordons USB permettaient de télécharger immédiatement les photos prises sur Facebook et Twitter.

Au fond de leur propriété, là où l'herbe du jardin cédait la place au sable du désert, les parents de Sutton avaient confectionné un parcours d'obstacles pour voitures téléguidées. Des odeurs de parfums et de produits capillaires se mélangeaient dans l'air à de très légers relents d'alcool. Les cadeaux destinés à

Sutton s'entassaient sur une table près de l'entrée. Jamais Emma n'en avait vu autant de sa vie.

Non qu'elle fût capable de profiter de quoi que ce soit. Oh, certes, elle avait enfilé la robe rose pâle très courte qu'elle avait trouvée dans la penderie de sa jumelle, sur un cintre marqué « ANNIVERSAIRE ». Certes, elle avait passé une heure au salon de coiffure pour se faire boucler les cheveux. Et certes, elle portait des bottines à talons hauts dont le prix devait équivaloir à son budget fringues annuel. Mais elle ne se sentait pas d'humeur particulièrement festive.

Chaque fois qu'un flash se déclenchait, elle sursautait et se détournait. Chaque fois que quelqu'un lui touchait le bras pour la saluer, elle se raidissait. Chaque fois que M. Mercer et les garçons qui s'étaient proposés pour l'aider envoyaient une chandelle ou une fusée depuis le fond du jardin, elle frémissait. Les explosions ressemblaient à des coups de feu. Il lui semblait que chaque minute risquait d'être sa dernière.

J'espérais qu'elle se trompait.

Après avoir fini de chanter « Joyeux anniversaire », Madeline, Charlotte et Laurel examinèrent la photo sur l'écran de l'appareil.

— Madeline a l'air soûle, commenta Charlotte.

— Et moi, j'ai l'air droguée, gloussa Laurel en se rapprochant d'Emma pour la lui montrer. Il n'y a que toi qui es bien là-dessus. Si tu veux la poster sur Facebook, tu devras toutes nous photoshoper d'abord.

Emma s'écarta discrètement de Laurel. Quand elle se trouvait trop près de cette dernière, tout son corps la picotait tant elle était nerveuse. Depuis le début de la soirée, elle observait la sœur de Sutton. Laurel avait passé le plus clair de son temps sur la piste de danse, réclamant des morceaux rapides et branchés qui faisaient bouger tout le monde. Une heure auparavant, elle avait coincé Emma près de la piscine pour lui offrir son cadeau : deux tickets pour une représentation des *Misérables*.

– Tu peux emmener qui tu veux, lui avait-elle dit timidement, mais j'adorerais y aller avec toi. Tu te souviens quand on était petites et qu'on s'amusait à rejouer des scènes entre nous ? Tu voulais toujours être Cosette.

Je brûlais d'envie de m'exclamer : « Bien sûr que je m'en souviens ! » Sauf que ça n'était pas le cas, et que ça m'attristait beaucoup. Je ne comprenais pas comment Laurel et moi en étions venues à nous détester de la sorte. Comment ma propre sœur avait-elle pu me tuer ?

Mais Emma était convaincue de sa culpabilité. Le souvenir de Laurel tentant de l'étouffer pendant la nuit était gravé à jamais dans son esprit. En revanche, la raison de son geste lui échappait. Laurel avait tout intérêt à ce qu'Emma reste en vie pour que personne ne s'aperçoive de la disparition de Sutton. Peut-être Emma ne jouait-elle pas son rôle assez bien. Peut-être posait-elle trop de questions et mettait-elle trop souvent son nez là où elle n'aurait pas dû.

Une silhouette à l'autre bout du patio attira l'attention d'Emma. Un jeune homme de haute taille, aux cheveux coupés très court, venait de pousser le portail de derrière. Il portait une chemise noire près du corps et un jean de la même couleur. Sous son bras, il tenait une boîte de chocolats Godiva.

Le nouveau venu paraissait tendu. Il promena un regard à la ronde comme s'il cherchait quelqu'un. Le cœur d'Emma fit un saut périlleux dans sa poitrine. *Ethan !*

Elle rendit l'appareil numérique à Madeline.

– Je reviens tout de suite.

– Mais, Sutton, protesta Charlotte sur un ton geignard, nous ne t'avons pas encore donné notre cadeau.

– Dans une minute, jeta Emma par-dessus son épaule.

Comme elle s'éloignait, elle entendit Charlotte soupirer :

– Mais qu'est-ce qui lui prend encore ?

La plupart des invités s'entassaient autour du buffet ou se trémoussaient sur la piste de danse. Une forte odeur de rhum chatouilla les narines d'Emma tandis qu'elle se frayait un chemin parmi la foule sans perdre de vue la tête d'Ethan. Le jeune homme avait un mal de chien à avancer. Gabriella le remarqua et ricana en voyant ses chocolats.

– Apparemment, il en pince toujours pour la reine du jour, commenta-t-elle en donnant un coup de coude à Emma.

Celle-ci l'ignora et se dressa sur la pointe des pieds. Ethan était coincé entre Jennifer et Julia, le seul couple de lesbiennes officiel – et populaire ! – du lycée de Hollier, et trois joueurs de foot qui semblaient rejouer une action d'un match récent. Emma voyait sa patience diminuer à vue d'œil, comme l'énergie restante dans la batterie d'un téléphone.

Elle contourna les filles occupées à se pomponner devant la table de relooking. Enfin, elle rejoignit Ethan à l'instant où il posait sa boîte de chocolats sur la table des cadeaux et faisait mine de rebrousser chemin. Elle lui saisit le poignet. Les épaules du jeune homme se crispèrent, mais quand il vit que c'était elle, un grand sourire éclaira son visage.

– Tu es venu ! se réjouit Emma.

Ethan haussa les épaules nonchalamment.

– Je passais dans le coin. Je ne peux pas rester longtemps.

– Oh.

Les épaules d'Emma s'affaissèrent.

Ethan promena un regard à la ronde. Une fois de plus, Emma remarqua la longueur de ses cils. Puis il toucha la boîte de Godiva.

– Bref. C'est pour toi. Joyeux anniversaire. J'espère que tu t'amuseras bien. (Il se pencha vers elle.) Je me suis laissé dire que toutes les grandes poétesses étaient accros au chocolat.

– Merci. (Emma caressa l'inscription dorée sur le couvercle de la boîte. Ethan avait choisi un mélange de chocolats noirs, ses préférés.) Je suis vraiment contente que tu sois passé.

Le sourire d'Ethan se flétrit comme le jeune homme apercevait quelque chose derrière Emma. Celle-ci pivota juste à temps pour voir Garrett fendre la foule, se jeter sur elle et la prendre dans ses bras afin de lui donner un long baiser langoureux.

Dégoûtée par le contact des lèvres de Garrett sur les siennes, Emma se débattit, mais en vain. Ses joues s'empourprèrent. Elle sentait que tout le monde les regardait.

– Wouhou ! cria une fille près d'eux.

Un des joueurs de foot siffla.

– Il y a des hôtels pour ça ! les taquina Madeline.

Enfin, Garrett s'écarta d'elle et la lâcha. Emma chercha Ethan du regard… mais il avait disparu.

28

LA SÉDUCTION ET LE MEURTRE VONT TOUJOURS DE PAIR

Garrett réussit à entraîner Emma à l'intérieur de la maison avant qu'elle refuse d'aller plus loin.

– C'est très impoli ce que tu viens de faire dans le jardin, lui reprocha-t-elle. Tu ne peux pas m'interrompre comme ça en pleine conversation. Je suis l'hôtesse ; je dois accueillir mes invités.

– Je ne faisais que voler à ton secours, se justifia Garrett. J'ai vu que tu t'étais fait coincer par Landry et que tu n'arrivais pas à t'en dépêtrer.

– N'importe quoi, protesta Emma.

– Tu avais besoin que je te sauve, insista Garrett sur un ton chevaleresque, légèrement condescendant – comme s'il savait mieux qu'Emma ce qui était bon pour elle.

La jeune fille en resta bouche bée un long moment. Dehors, la musique pulsait. Les ressorts du plongeoir vibrèrent avec le bruit reconnaissable entre tous de quelqu'un se jetant à l'eau.

– Je ne suis pas ta demoiselle en détresse, articula enfin Emma, les joues brûlantes de colère.

Tout l'aplomb de Garrett s'envola, remplacé par une expression hésitante.

– Je suis désolé, Sutton, dit-il en prenant les deux mains d'Emma. Je voulais juste être un peu seul avec toi. Je ne t'ai pas encore vue de la soirée.

Emma s'adossa à l'horloge du grand-père en se souvenant de l'air timide d'Ethan quand il lui avait offert ses chocolats.

– Dès que je t'aurai donné ton cadeau, tu me pardonneras, affirma Garrett en retrouvant une partie de sa belle assurance. Je te le promets.

Et il entraîna Emma vers l'escalier.

La jeune fille le suivit, enjambant une pile de T-shirts propres et pliés que Mme Mercer avait déposée sur une des marches. Pourquoi Garrett ne pouvait-il pas lui donner son cadeau en bas ?

– Nous y voilà, souffla le jeune homme.

Il poussa la porte de la chambre de Sutton.

Des bougies allumées recouvraient toutes les surfaces. Une odeur d'huile essentielle de lavande assaillit les narines d'Emma. La voix de Billie Holiday s'échappait des haut-parleurs de la chaîne hi-fi. Garrett avait tiré les rideaux et répandu des pétales de rose, par terre et sur le lit. Il y avait une boîte de chocolats Valrhona sur l'oreiller et deux flûtes de champagne sur la table de chevet.

Une fois de plus, Emma sentit la mâchoire lui tomber sur la poitrine. La conversation qu'elle avait eue avec Garrett sur la piste de randonnée lui revint en mémoire. « Ça me rappelle ce dont on a parlé cet été. Nos projets. Je pensais que ce serait bien de le faire pour ton anniversaire », avait dit le jeune homme.

– Oh, mon Dieu, lâcha Emma, consternée.

Le morceau de Billie Holiday se termina, et fut suivi par une chanson d'amour de Jack Johnson, version acoustique. Garrett sourit tendrement à Emma. Puis, comme s'il faisait un concours du strip-tease le plus rapide, il arracha son T-shirt, le jeta par terre, se débarrassa de ses chaussures en les enlevant sans les délacer et défit sa ceinture.

– Oh, mon Dieu, arrête ! s'écria Emma.

Garrett se figea, les joues rouges et les mains légèrement tremblantes. La flamme des bougies dansait sur les murs.

– Euh...

Emma se mit à glousser nerveusement. Toute cette scène avait quelque chose de... ridicule. Oui, c'était ça, ridicule. Elle connaissait Garrett depuis moins de deux semaines, et elle était censée coucher avec lui ?

– Je suis désolée. Je ne peux pas.

Le jeune homme s'assit au bord du lit, dévisageant Emma comme si elle était subitement devenue violette.

– Mais... on en a parlé tout l'été.

Emma ne sut pas quoi répondre.

– J'ai bien réfléchi, poursuivit Garrett en passant les mains dans ses cheveux hérissés, et j'ai compris que tu avais raison. Que ça ne servait à rien d'attendre. Je veux que tu sois ma première. Mais toi, Sutton… On dirait que tu ne veux plus que je sois ton premier.

Emma regardait partout dans la pièce pour ne pas voir l'élastique du boxer qui dépassait du jean de Garrett. « Je ne suis pas Sutton », voulait-elle hurler. Mais elle se contenta de bredouiller :

– Disons que j'ai changé d'avis.

– Changé d'avis ? répéta Garrett, désespéré. (Il la dévisagea, puis posa ses mains à plat sur le couvre-lit jonché de pétales de rose.) Attends un peu, dit-il d'une voix basse et tremblante. Toutes ces discussions sur notre première fois… c'était juste une blague ? C'est ça que tu as fait à Thayer ?

– Non, bien sûr que non. (Emma secoua la tête très vite en se demandant ce que Sutton avait bien pu faire à Thayer.) Mais je ne peux pas… (Elle fit un pas en arrière. L'odeur de l'huile essentielle lui donnait la nausée.) Je suis désolée.

Se détournant, elle ouvrit la porte et sortit de la chambre. Mais au lieu de dévaler l'escalier pour rejoindre les invités en bas, elle partit dans l'autre direction et se réfugia dans la chambre voisine.

Elle venait de refermer la porte derrière elle quand Garrett sortit dans le couloir à son tour.

– Sutton ? appela-t-il.

Emma s'accroupit en retenant son souffle. Elle entendit le jeune homme pivoter sur lui-même et faire quelques pas dont la moquette étouffa partiellement le bruit.

– Sutton ?

Emma ne bougea pas. En silence, elle pria pour qu'il ne la trouve pas.

Au bout d'un moment, Garrett poussa un grognement de dépit. Une porte claqua et se rouvrit quelques secondes plus tard. Des pas descendirent lourdement l'escalier et traversèrent le vestibule au rez-de-chaussée.

Emma pivota et s'affaissa contre la porte avec un soupir de soulagement. Alors seulement, elle examina la chambre dans laquelle elle se trouvait.

Deux veilleuses en forme de diamant éclairaient le couvre-lit rayé noir et blanc. Un fauteuil rose et blanc en forme d'œuf occupait un coin de la pièce. Un mobile moderne pendait près de la fenêtre, et les murs disparaissaient sous des millions de photos de filles. Emma cligna des yeux en découvrant le miroir triple qui se dressait près de la penderie, le Mac Air posé sur le bureau et l'écran plat sur la commode. C'était la réplique exacte de la chambre de Sutton, mais inversée.

Les genoux d'Emma craquèrent comme elle se redressait lentement. Jamais encore elle n'était entrée dans la chambre de Laurel – celle-ci gardait toujours sa porte fermée. Allumant la lampe de bureau, Emma examina les photos sur le tableau d'affichage. Elle reconnut sans peine celle qui avait été prise au zoo devant la maison des singes, celle qui montrait Sutton, Charlotte et Madeline se menaçant avec des cuillères pleines de pâte à biscuits, et des tas d'autres encore. C'étaient les mêmes photos que dans la chambre de Sutton – et Laurel ne figurait même pas dans la plupart d'entre elles.

Emma trouvait cette similitude troublante. *C'est comme si Laurel étudiait Sutton*, songea-t-elle. *Comme si elle voulait devenir Sutton.*

Sur la pointe des pieds, elle s'approcha du lit de Laurel et regarda sous le couvre-lit. Elle n'y trouva qu'une raquette de rechange, deux chouchous et plusieurs paires de chaussettes roulées en boule.

Elle entrouvrit la penderie. Une légère odeur de parfum et de denim neuf s'en échappa. Alors que chaque chose avait sa place dans la garde-robe de Sutton, les chemisiers et les robes de Laurel étaient accrochés de travers sur leurs cintres, bretelles pendantes et manches froissées. Les jeans et les T-shirts s'entassaient dans un coin. Les chaussures gisaient éparpillées sur le sol.

Emma referma la penderie et se massa les tempes. Il devait bien y avoir quelque chose, une preuve de ce que Laurel avait fait...

J'espérais que non. J'espérais que ma petite sœur n'était pas coupable.

Une petite lumière bleue brillait sur l'ordinateur portable de Laurel. Déglutissant, Emma se dirigea vers le bureau et s'assit. L'économiseur d'écran était un montage de photos montrant Sutton, Laurel et le reste de la bande à des fêtes privées, dans des restaurants et pendant des soirées pyjamas. Il disparut dès qu'Emma toucha la souris, révélant un bureau encombré d'icônes et de fichiers. La plupart d'entre eux portaient des noms tels que « Devoir sur Shakespeare » ou « Soirée de C ».

Un craquement s'éleva dans le couloir. Emma se figea et pencha la tête sur le côté. Quelqu'un cria dans le jardin. Un téléphone portable sonna. Tous les sens en alerte, la jeune fille guetta un bruit plus proche. L'extrémité de ses doigts la picotait. Elle relâcha lentement son souffle.

Reportant son attention sur le Mac Air, elle démarra l'outil de recherche et tapa très vite « Jeu du Mensonge ». La petite roue arc-en-ciel tourna. Un dossier apparut, profondément enfoui dans un drive temporaire. Emma cliqua dessus plusieurs fois. L'ordinateur émit un bref aboiement.

Une fenêtre s'ouvrit. Elle contenait une liste de vidéos. Emma les regarda toutes. Elle avait déjà vu les deux premières sur la page Facebook de Sutton : celle où Madeline faisait semblant de se noyer dans une piscine, et celle où Sutton, Charlotte et Madeline taguaient un rocher, la nuit au milieu d'un parcours de golf. « Je te parie mille billets que Laurel a eu la frousse », disait Sutton.

D'autres vidéos, qu'Emma voyait pour la première fois, montraient Sutton appelant la police pour dire qu'elle avait entendu un bébé crier dans une benne à ordures, ou Madeline volant la voiture de Mme Mercer pendant que celle-ci faisait ses courses chez AJ's Market. Cachées dans les buissons avec la caméra, Sutton, Charlotte et Laurel gloussaient en voyant Mme Mercer ressortir du magasin et paniquer. Dans la vidéo suivante, Sutton tournait dans le mauvais sens tous les bureaux d'une salle de classe et accrochait le drapeau américain à l'envers sur sa hampe. Et ça continuait presque indéfiniment, une mauvaise blague après l'autre.

Je regardais avec Emma, et j'avais la nausée. La plupart des tours que nous avions joués étaient aussi astucieux que cruels. Nous avions blessé beaucoup de gens. Certains n'avaient pas dû trouver ça drôle.

Emma cliqua sur la toute dernière vidéo. Le fichier, situé au bas de la liste, s'intitulait « LA CHUTE DE LA REINE ». Il commençait par un écran noir. Puis la caméra s'agitait pendant quelques secondes, montrant des arbres, des buissons et la lune dans le ciel avant de se braquer de nouveau sur le sol. Quelqu'un respirait tout près du micro. Il y eut un craquement, et la caméra se stabilisa enfin, comme si on venait de la fixer sur un trépied. Elle se focalisa sur une chaise dressée au milieu d'une étendue déserte.

Une silhouette tomba maladroitement sur la chaise. Quelqu'un avait dû la pousser. Elle avait un bandeau sur les yeux, et portait un médaillon rond en argent autour du cou. Submergée par un mélange de terreur et de soulagement, Emma plaqua une main sur sa bouche. C'était la vidéo à cause de laquelle tout avait commencé pour elle. La vidéo qui l'avait amenée à Tucson et forcée à prendre la place de sa sœur. Enfin, elle tenait une preuve !

Une autre silhouette apparut à l'écran. Elle se pencha vers la caméra pour régler l'objectif. Le clair de lune formait un halo autour de sa tête. Comme l'éclairage s'ajustait, révélant ses traits, Emma hoqueta. Elle avait l'impression d'être sur un grand huit dont le petit train venait de plonger dans la grande descente. *Laurel.*

Moi aussi, je hoquetai en silence. Ainsi, c'était vrai ?

Les yeux verts de Laurel fixèrent froidement la caméra. Un sourire sinistre flottait sur ses lèvres. Emma entendait vaguement Sutton gémir à l'arrière-plan. Le souffle court, elle réalisa que le son n'était pas coupé dans cette version de la vidéo. Ses mains se mirent à trembler, et son cœur à battre la chamade. Tout son corps lui hurlait de s'enfuir en courant, mais elle ne pouvait détacher son regard de l'ordinateur.

– Chut, souffla une voix derrière la caméra.

Sutton tourna la tête en direction du bruit. Soudain, Charlotte apparut à l'écran. Elle se dirigea vers Sutton et rajusta son bandeau. Puis Madeline entra dans le champ et traîna Charlotte à l'écart.

Le cœur d'Emma battait si fort qu'elle le sentait cogner contre ses côtes. C'était impossible. Elles se trouvaient toutes là la nuit du meurtre ?

Laurel réapparut à l'écran et tira une cagoule de ski sur sa tête. Elle attendit pendant que la caméra oscillait de droite et de gauche. Au bout d'un moment, quelqu'un chuchota « Vas-y » derrière l'objectif. Laurel acquiesça et contourna la chaise de Sutton. Calmement, elle tira la chaîne du médaillon sur la gorge de sa sœur.

À partir de ce moment, la vidéo rejoignait celle qu'Emma avait vue une semaine et demie plus tôt. Sutton se débattait, tentant de se dégager. Mais Laurel continuait à tirer.

J'étais horrifiée. Comment avaient-elles pu toutes me faire ça ? Comment mes amies avaient-elles pu se liguer contre moi et décider de me tuer ?

– Plus fort ! chuchota une voix hors champ.

On aurait dit celle de Madeline.

Laurel obtempéra.

– Un peu plus haut ! suggéra alors Charlotte.

La scène se poursuivit pendant vingt secondes encore – vingt secondes de pure torture. Charlotte et Madeline pouffaient tout bas pendant que Sutton continuait à se débattre. Puis elle s'affaissa, et sa tête bascula en avant. Emma plaqua une main sur sa bouche.

La caméra se braqua sur Laurel. Les yeux écarquillés, celle-ci recula. Elle tendit une main hésitante vers sa sœur, mais se ravisa au dernier moment et la retira.

– Les filles, balbutia-t-elle d'une voix brisée.

– Putain, c'est quoi, ça ? s'écria Madeline, au bord de la panique. Qu'est-ce que tu as foutu, Laurel ?

Derrière sa cagoule, le menton de la jeune fille se mit à trembler.

– J'ai fait exactement ce que vous me disiez ! se défendit-elle.

Les pas de Charlotte crissèrent dans l'herbe sèche.

– Sutton ? J'espère pour toi que tu n'es pas en train de te payer notre tête. (Comme Sutton ne réagissait pas, elle poussa un gémissement aigu.) Merde, les filles ! Merde !

Puis quelqu'un cria non loin d'elles. La caméra perdit l'image un moment. Avec un bruit mat, elle s'écrasa sur le sol, et quand l'image revint, elle avait basculé sur le côté. Des pas s'éloignèrent précipitamment ; très vite, ils devinrent inaudibles.

La seconde d'après, une nouvelle silhouette apparut à l'écran. D'un geste vif, elle arracha le

310

bandeau de Sutton. Les cheveux de la jeune fille étaient trempés de sueur et plaqués contre son crâne. Toute couleur avait déserté son visage. Mais au bout d'un moment, elle ouvrit les yeux et jeta un regard hébété à la caméra.

Emma scruta les traits blêmes de sa sœur. Puis l'image vira au noir, et elle se raidit.

– Elles étaient toutes là, murmura-t-elle d'une voix tremblante. Elles sont toutes coupables.

Soudain, beaucoup de choses s'éclaircissaient. Si les amies de Sutton n'avaient pas fait mine de remarquer qu'Emma ne se comportait pas du tout comme elle, c'est parce qu'elles étaient au courant pour la substitution, et que ça les arrangeait. Madeline avait enlevé la jumelle de leur victime devant Sabino Canyon et l'avait conduite à la soirée de Nisha. Charlotte avait ramené Emma chez les Mercer le soir même, et le lendemain, elle l'avait accompagnée à l'entraînement de tennis. Laurel l'avait emmenée au lycée tous les jours. Après avoir compris qu'Emma se trouvait à la gare routière, Laurel et Charlotte avaient fait le nécessaire pour qu'elle ne quitte pas la ville. Le soir même, elles s'étaient toutes rendues chez les Chamberlain pour la soirée pyjama de Charlotte.

Elles avaient besoin qu'Emma continue à jouer le rôle de sa sœur défunte. Après tout, pas de cadavre, pas de crime.

– Sutton ? appela quelqu'un depuis le couloir.

Emma sursauta et se cogna le genou contre le dessous du bureau. C'était la voix de Charlotte.

– Sutton ? appela de nouveau cette dernière.

Emma chercha frénétiquement Safari sur le bureau du Mac Air pour pouvoir ouvrir sa boîte mail. Elle devait s'envoyer cette vidéo. Mais elle y voyait flou, et toutes les icônes lui apparaissaient comme des hiéroglyphes.

– Coucou ? (Plus bas, Charlotte dit à quelqu'un qui la suivait :) Elle est peut-être là-dedans ?

– Sutton ? appela une deuxième voix.

Garrett. Il frappa à la porte de la chambre de Laurel.

Emma se leva si brusquement qu'elle fit tomber la chaise de Laurel. Un instant, elle tourna sur elle-même au milieu de la pièce, se demandant où elle pourrait bien se cacher. Sous le lit ? Dans la penderie ? Elle se précipita vers la fenêtre et se plaqua dos au mur.

Nouveaux coups à la porte.

– Sutton ?

La poignée commença à tourner.

Emma se tordit le cou pour regarder dehors. La chambre de Laurel faisait face à une rangée de haies dans le jardin de derrière. À seulement quelques mètres d'elle, les camarades de Sutton se déchaînaient sur la piste de danse. D'une main tremblante, Emma souleva la fenêtre à guillotine. L'air frais de la nuit lui souffla à la figure.

– Sutton, tu es là ? appela Charlotte.

Emma jeta un coup d'œil par-dessus son épaule. La bande de lumière sous la porte commençait à s'élargir. Emma aperçut les cheveux blonds de Garrett dans le couloir. *Bouge-toi, ma vieille*, s'exhorta-t-elle.

Reportant son attention sur la fenêtre, elle prit une grande inspiration.

– Sutton ?

Mais lorsque la voix résonna à l'intérieur de la chambre de Laurel, Emma avait déjà touché le sol.

29

LA GRANDE ÉVASION

Emma atterrit au beau milieu d'une haie et fit un gros trou dans l'ourlet de sa robe. Elle s'écorcha la main sur une pierre lorsque le talon d'une de ses bottines frappa la terre dure en biais et qu'elle se tordit la cheville. Avec un grognement, elle ôta ses chaussures et les planqua sous un cactus.

Elle regarda à travers la haie. Au fond du jardin, les garçons jouaient toujours avec les voitures téléguidées. Des filles faisaient tourner une flasque chromée en gloussant. Gabriella et Lilianna se tenaient à cinq mètres d'elle à peine. L'air frustré, elles chuchotaient avec animation. Par chance, elles ne l'avaient pas vue tomber.

La porte vitrée coulissa, et Charlotte et Garrett ressortirent de la maison. Le jeune homme partit seul de son côté tandis que Charlotte rejoignait Madeline et Laurel. Toutes trois se mirent à conférer à voix basse près des buissons. Emma resta accroupie dans sa cachette, n'osant pas bouger un muscle.

– Elle était là-haut ? s'enquit Madeline, sa voix flottant par-dessus le brouhaha de la fête.

– Non, répondit Charlotte. J'ai regardé partout, y compris dans la chambre de Laurel. Elle s'est envolée.

Madeline grimaça.

– Elle n'a pas pu partir sans qu'on la voie !

Les filles se tournèrent vers le portail. Emma rampa discrètement jusqu'à la haie suivante. Le gravier meurtrissait ses genoux nus. Lorsqu'elle eut atteint le muret qui entourait la maison, elle se redressa et se hissa dessus, puis se laissa tomber de l'autre côté, s'égratignant les bras et le haut des cuisses au passage.

Elle s'éloigna rapidement, faisant crisser le gravier sous ses pieds nus et promenant autour d'elle un regard affolé. Elle n'avait pas d'argent, pas de téléphone, pas même de chaussures. Où pouvait-elle bien aller ?

Devant elle, un barrage de voitures bloquait l'accès à la rue. Une Jeep Cherokee était prise en sandwich entre une Toyota et une Subaru Impreza garée de travers. Puis Emma aperçut un passage étroit de l'autre côté de la Subaru, le long du mur de pierre qui séparait la propriété des Mercer de celle de leurs voisins. Il lui suffisait de contourner la Subaru, et elle serait libre !

Le ventre rentré au maximum, elle se faufila contre la carrosserie en évitant le rétroviseur latéral et en priant pour que la voiture ne soit pas équipée d'une de ces alarmes qui se déclenchait au moindre contact.

Un bruit la fit s'arrêter à mi-chemin. Trois silhouettes se tenaient près du portail de derrière. La première était grande et mince, avec des cheveux foncés et un teint doré. La seconde était plus petite, avec des épaules larges et une peau pâle qui luisait faiblement au clair de lune. La troisième arborait une queue de cheval blonde familière. Toutes trois semblaient chercher quelque chose. Laurel tenait une lampe-torche.

La terreur paralysa Emma.

– Sutton ? appela Madeline d'une voix froide et hostile.

Soudain, Laurel hoqueta.

– Elle est là ! s'écria-t-elle en braquant le faisceau de sa lampe sur l'endroit où se tenait Emma.

Les trois filles se précipitèrent vers elle, piétinant les massifs de fleurs au passage. Tandis qu'elles longeaient le porche, Emma se dépêcha de sortir de l'étroit couloir entre la Subaru et le mur. Les battements de son cœur résonnaient à ses oreilles comme un grondement de tonnerre.

– Sutton ! (Charlotte, Madeline et Laurel se mirent à zigzaguer entre les voitures.) Reviens ici !

Emma s'élança, le regard rivé sur la rue dont quelques mètres seulement la séparaient encore. Comme elle atteignait le bout de l'allée, un de ses pieds déjà meurtris heurta quelque chose de chaud et de coupant. Elle poussa un cri et tomba à genoux.

– Relève-toi ! lui hurlai-je bien inutilement. Relève-toi !

Emma se redressa maladroitement. Les autres filles étaient elles aussi en train de contourner la Subaru. Le regard d'Emma croisa celui de Laurel, dont les épaules et les mâchoires étaient crispées par la colère. Avec un gémissement, elle tituba en direction de la rue.

Puis l'éclairage automatique du garage s'éteignit, plongeant l'allée et la rue dans une obscurité totale. Emma se figea, le cœur dans la gorge. À tâtons, elle chercha le rebord du mur de pierre qui entourait la propriété des Mercer, le contourna rapidement et s'accroupit derrière, hors de la vue des autres.

– Sutton ? appelèrent les filles.

Leurs talons hauts cliquetèrent sur le bitume. D'après le bruit de leurs voix, elles se rapprochaient. Pour ce qu'Emma en savait, elles se tenaient juste à côté d'elle.

Une main jaillit et lui saisit le poignet. Emma sursauta et poussa un cri. Quelqu'un l'entraîna brutalement à l'écart du mur, dans le jardin des voisins. Elle tomba à quatre pattes et s'écorcha les mains sur le gravier pointu. Ses yeux se remplirent de larmes.

Une vive douleur palpitait dans un de ses pieds. L'odeur âcre d'une cigarette lui chatouillait les narines. Elle leva les yeux vers la silhouette sombre qui la toisait, s'attendant à découvrir le visage grimaçant de fureur de Charlotte ou le regard pénétrant de Laurel.

Au lieu de ça, une voix masculine lança :

– Qu'est-ce que tu fiches ?

Emma cligna des yeux.

– Ethan ? chuchota-t-elle tandis que sa vision s'ajustait.

Elle arrivait tout juste à distinguer le crâne presque rasé du jeune homme et sa mâchoire anguleuse. Il tenait entre ses doigts une cigarette dont le bout rougeoyait étrangement dans l'obscurité. Il l'écrasa sur le gravier en détaillant le visage en sueur d'Emma, son expression paniquée, sa robe déchirée et ses pieds nus.

– Tu peux m'expliquer ce qui se passe ?

– Sutton ? appela Madeline en même temps. (Elle était tout près d'eux, de l'autre côté du mur de pierre.) Où es-tu ?

Emma agrippa la main d'Ethan.

– Tu peux m'aider à ficher le camp d'ici ? Tout de suite ?

– Quoi ?

– Je t'en prie, souffla-t-elle, désespérée, en s'accrochant à la main du jeune homme comme une noyée. Tu peux m'aider, oui ou non ?

Ethan continua à la dévisager en silence. Une expression indéchiffrable passa sur ses traits. Puis il acquiesça.

– Ma bagnole est garée deux pâtés de maisons plus loin.

Main dans la main, ils se fondirent dans l'obscurité.

J'espérais seulement qu'Ethan parviendrait à emmener ma sœur avant que les autres la rattrapent.

30

QUELQU'UN SAIT

Ethan guida Emma jusqu'à une vieille Honda Civic rouge avec un hayon arrière, une portière grise et un pare-brise fissuré. L'intérieur sentait le McDo et les pieds, et le siège passager était jonché de devoirs et de livres de cours. Emma les balaya d'un revers, s'assit et boucla sa ceinture de sécurité. Ethan s'installa derrière le volant. Pivotant, Emma vit Laurel qui, plantée au bord de l'allée des Mercer, tournait la tête en tous sens.

Dès qu'Ethan mit le contact, les haut-parleurs se mirent à hurler. C'était un morceau rapide, au rythme rageur. Le jeune homme plongea pour éteindre le poste. Le volant couina tandis qu'il déboîtait et s'éloignait dans la rue.

Emma enfonça ses ongles dans ses cuisses tout en regardant la maison des Mercer rapetisser dans le rétroviseur latéral. Elle ne se détendit que lorsqu'elle ne la vit plus derrière eux.

La voix basse d'Ethan brisa le silence.

– Alors, qu'est-ce qui se passe ?

– C'est difficile à expliquer, répondit Emma.

Ils dépassèrent le parc où ils avaient joué au tennis et admiré les étoiles. Les projecteurs illuminaient l'un des courts, mais celui-ci semblait désert. La Honda longea ensuite le complexe où Laurel avait emmené Emma pour leur manucure, puis le centre commercial La Encantada où Emma avait fait du shopping avec Madeline. La route qui conduisait vers le lycée tourna vers la gauche ; un faux cactus à un seul bras indiquait le chemin.

– Où allons-nous ? s'enquit Ethan.

Emma s'affaissa dans son siège. Où pouvait-elle aller ? Voir les flics ? Peut-être accepteraient-ils de fouiller la chambre de Laurel. S'ils voyaient la vidéo sur son ordinateur, ils seraient bien forcés de croire Emma.

La jeune fille prit une grande inspiration.

– À la gare routière, dans le centre.

Ethan haussa les sourcils.

– Celle qui est en face de l'*Hôtel Congress* ?

– Oui.

– Tu pars en voyage ?

Emma serra ses bras sur sa poitrine.

– Quelque chose comme ça.

Du menton, il désigna ses pieds nus.

– Sans chaussures ?

– Je trouverai une solution.

Il la dévisagea bizarrement. Au carrefour suivant, il tourna à gauche et entra sur la voie rapide. Il n'y avait guère de circulation à cette heure-ci ; le ruban de bitume désert se déroulait à perte de vue. Sur les côtés se dressaient des enseignes au néon signalant la présence de garages, de motels ou de fast-foods. Des lumières scintillaient au flanc de la montagne. Un hélicoptère les survola en vrombissant.

– Je peux te demander pourquoi tu fuis ta propre soirée d'anniversaire ? interrogea Ethan en changeant de direction pour sortir de l'autoroute.

Emma appuya sa tête contre le dossier de son siège.

– Il faut juste que je m'en aille. Si je te racontais pourquoi, tu ne me croirais pas. C'est trop dingue.

Le feu au bout de la bretelle de sortie passa au vert. Ethan tourna à gauche. Pendant quelques minutes, ils roulèrent en silence le long d'une route qui passait entre les collines. Il n'y avait plus une seule lumière en vue, aucune maison sur le bord, aucune voiture qui arrivait en sens inverse. Les sourcils froncés, Emma regarda l'autoroute disparaître derrière eux. Ils s'éloignaient de la ville.

– Je crois que tu te trompes de direction.

– Pas du tout.

Les lumières de la ville diminuaient dans le rétroviseur. La route montait et descendait tour à tour. Ethan tourna de nouveau, sur un simple chemin cette fois. Du gravier poussiéreux crissait sous les pneus. La voiture frôlait presque les grands cactus qui se dressaient sur le bas-côté. Le cœur d'Emma se mit à battre plus fort.

– Ethan, on tourne le dos à la ville, insista-t-elle.

Le jeune homme ne répondit pas. La voiture gravit une petite pente. Les lumières qui brillaient derrière eux paraissaient désormais aussi lointaines que les étoiles. Emma palpa les marques de strangulation sur son cou, et sa bouche s'assécha immédiatement. Elle détailla le profil d'Ethan. Il avait les yeux plissés, les dents serrées et les mains crispées sur le volant.

Je gémis.

– Emma...

Subitement, j'avais l'impression très forte que quelque chose clochait.

L'estomac noué, Emma tendit discrètement la main vers la poignée de la portière et commença à tirer.

Clic. Le petit bouton de verrouillage s'enfonça tout seul. Emma appuya dessus pour le faire ressortir, mais sans résultat.

– Arrête-toi ! glapit-elle, si effrayée tout à coup que la tête lui tournait. Arrête-toi immédiatement !

Ethan freina si brusquement qu'Emma fut projetée en avant et se cogna le bras contre la boîte à gants. La Honda stoppa dans un soubresaut tandis que le moteur continuait à ronronner.

Les yeux plissés, Emma scruta l'obscurité ambiante. Pour ce qu'elle pouvait en dire, ils se trouvaient au milieu du désert. Il n'y avait même plus de chemin sous les roues de la voiture.

– Quoi ? demanda Ethan. Que se passe-t-il ?

Emma se tourna vers lui, tremblante. Des larmes qu'elle ne cherchait même pas à retenir ruisselaient sur ses joues.

– Je veux sortir. Déverrouille la portière, s'il te plaît.

– Calme-toi, dit gentiment Ethan. (Il défit sa ceinture de sécurité et pivota dans son siège pour faire face à la jeune fille. Puis il lui prit le poignet, sans serrer trop fort mais fermement quand même.) Je voulais juste t'emmener assez loin pour que personne ne puisse nous voir ou nous entendre.

– Pourquoi ? gémit Emma, toutes sortes de possibilités affreuses se bousculant dans sa tête.

– Parce que je crois que je sais quelque chose. (La voix d'Ethan baissa d'une demie octave.) Quelque chose qu'à mon avis, tu ne veux pas que les autres découvrent.

– De quoi parles-tu ?

La pomme d'Adam du jeune homme fit le yo-yo comme il déglutissait.

– Tu n'es pas la personne que tu prétends être.

Emma cligna des yeux.

– Pardon ?

– Tu n'es pas Sutton. C'est impossible.

Les paroles d'Ethan se plantèrent dans le cerveau d'Emma comme des coups de couteau. La jeune fille ouvrit la bouche pour répondre, mais aucun son n'en sortit. Comment pouvait-il savoir ça ? Lentement, elle tira la poignée de la portière de sa main libre. Celle-ci était toujours verrouillée.

– Bien sûr que je suis Sutton, affirma-t-elle d'une voix tremblante.

Son cœur battait la chamade.

– Tu n'agis en rien comme elle.

Emma déglutit péniblement. La tête lui tournait de plus en plus.

– Comment peux-tu le savoir ?

Ethan se pencha vers elle.

– J'ai d'abord cru que Sutton avait changé – depuis cette nuit où tu t'es pointée dans mon jardin. Mais ce soir… tu es complètement différente. Tu es quelqu'un d'autre, dit-il tristement. Et ça me fait flipper. Alors, tu ferais mieux de m'expliquer ce qui se passe.

Emma le dévisagea, paralysée par la peur.

Mais tandis qu'Ethan parlait, quelque chose se débloqua dans ma tête. Son sourire douloureux. L'odeur de la poussière et des plantes du désert. La sensation de quelqu'un nouant un tissu autour de ma tête et serrant quelque chose de mince et de coupant autour de mon cou. Des gloussements.

Soudain, une réaction en chaîne se produisit. Une lumière en alluma une série d'autres. Des images se succédèrent. Et une scène nouvelle se déroula sous mes yeux ainsi qu'un tapis rouge devant une reine. Je ne pus qu'observer, impuissante.

31

C'EST PAS DRÔLE, PÉTASSES

La silhouette floue m'attrape par les épaules et me tire hors du coffre. Je me cogne le genou au passage et me tords la cheville en posant mon pied engourdi par terre. Des mains plaquées sur mes omoplates me poussent en avant. Je baisse la tête pour tenter de distinguer le sol, mais il fait trop sombre. Je sens l'odeur d'un feu quelque part dans le lointain, mais je n'ai pas la moindre idée de l'endroit où je me trouve. Je pourrais aussi bien être à Tucson que sur la lune.

Les mains me forcent à m'asseoir. Mon coccyx touche ce qui ressemble à une chaise en bois pliante. Je pousse quelques cris étouffés. Le bâillon est tout imprégné de ma salive.

— La ferme, siffle quelqu'un.

J'essaie de lui décocher une ruade, mais mes pieds ne rencontrent que de l'air.

J'entends des pas crisser sur du gravier, puis un léger bip *électronique*. À travers mon bandeau, je distingue la lumière d'une LED braquée sur moi. Je mords mon bâillon de toutes mes forces.

— *Vas-y*, chuchote une voix de fille.

Les pas se rapprochent. Puis des mains saisissent la chaîne de mon médaillon, celui que je ne quitte jamais, et tirent brutalement dessus. Ma tête part en arrière. Je remue mes mains, mais elles sont trop bien attachées. Je n'arrive pas à les libérer. Mes pieds nus s'agitent sur le sol rugueux.

J'entends une voix souffler : « Plus fort », et une autre « Un peu plus haut ». La chaîne s'enfonce dans ma chair. Je tente de respirer, mais ma trachée est comprimée. Mes poumons réclament de l'air en hurlant. Tout mon corps se met à brûler. Je donne un coup de tête en avant. La petite lumière rouge est toujours braquée sur moi. Derrière, je distingue deux silhouettes, un éclat de dents blanches et de bijoux. Je pense : Je suis en train de mourir. Elles vont me tuer.

Ma vision vire au gris. Des taches apparaissent devant mes yeux. Mes tempes palpitent de douleur tandis que mon cerveau commence à manquer d'oxygène. Je veux me débattre, mais je suis trop faible. Mes poumons frissonnent, prêts à abandonner la lutte. Peut-être serait-il plus facile de me laisser faire.

L'un après l'autre, mes muscles se relâchent. C'est un soulagement délicieux, comme lorsque je me laisse tomber sur mon lit après un match de tennis acharné. Autour de moi, tous les sons diminuent. Ma vision rétrécit jusqu'à n'être plus qu'un tunnel de lumière. Même la chaîne qui m'étrangle ne me fait plus aussi mal.

Je sens ma tête tomber mollement en avant. Mon cou n'est plus capable de la soutenir. Les ténèbres m'enveloppent. Je ne vois plus rien. J'ai toujours peur, mais de façon plus diffuse à présent. Continuer à lutter me réclamerait trop d'efforts.

Très loin à l'extérieur, j'entends des chuchotements rapides, comme affolés. Quelqu'un qui m'appelle. Un cri étranglé. D'autres bruits de pas. Un choc sourd, comme si quelque chose venait de tomber par terre. Un instant plus tard, ma peau enregistre vaguement la sensation du bandeau qu'on me retire et d'une main qui me touche la joue.

— Sutton ? lance une voix douce. (Une voix masculine. Le vent me souffle au visage ; mes cheveux me chatouillent le front.) Sutton ? répète la même voix.

Petit à petit, je reprends connaissance. Le bout de mes doigts me picote. Mes poumons se gonflent. Une tache apparaît devant mes yeux, puis une autre. Une de mes paupières cligne faiblement. Je promène un regard hébété à la ronde. Je me sens comme quand je me suis réveillée de l'anesthésie après mon ablation des amygdales. Où suis-je ?

Ma vision s'éclaircit. Je vois un trépied vide devant moi. Une caméra vidéo renversée gît sur le sol ; la LED rouge de l'indicateur de batterie clignote. Je me trouve dans une sorte de clairière, même si je ne vois ni voitures ni lumières. Je hume une légère odeur de cigarette. Puis je remarque quelqu'un accroupi près de moi. Je sursaute et me raidis.

— Tu vas bien ? s'enquiert le type. (Il touche la corde qui me lie les mains.) Misère, marmonne-t-il.

Encore désorientée, je le détaille. Il a des cheveux bruns coupés très court et des yeux d'un bleu saisissant. Il porte un T-shirt noir, un bermuda kaki et des Converse noires. Dans sa main gauche, il tient le bandeau qui me couvrait les yeux quelques instants plus tôt. Je me demande d'abord si c'est lui qui m'a fait ça, mais il me regarde avec un tel mélange de dégoût et d'inquiétude que je rejette immédiatement cette idée.

D'une voix rauque, éraillée, j'articule :

— Je n'y vois pas très bien. Qui est-ce ?

— C'est Ethan, répond le type. Ethan Landry.

Je cligne des yeux. Ethan Landry. J'ai l'impression que mon cerveau baigne dans de la boue. L'espace d'une minute, il tourne à vide. Puis je me souviens d'un garçon à l'air sombre, traînant seul dans les couloirs du lycée, d'un visage m'observant depuis l'autre bout du parking, l'air plein d'espoir.

Faiblement, je demande :

— Que s'est-il passé ?

— Je ne sais pas. (Ethan entreprend de me détacher les mains.) J'ai vu quelqu'un t'étrangler. J'ai accouru, et il s'est enfui.

Je murmure :

— On m'a jetée dans le coffre d'une voiture. Quelqu'un m'a traînée jusqu'ici.

— Tu as vu qui c'était ?

Je secoue la tête. Puis je dévisage Ethan en essayant de me rappeler ce que je sais de lui. La raison pour laquelle je ne l'aime pas. Peut-être qu'il n'y a pas de raison particulière. Nous le méprisons depuis si longtemps que nous ne nous souvenons même plus pourquoi nous avons commencé. Mais soudain, j'ai l'impression qu'il est mon seul ami au monde.

Crac. Une brindille craque derrière moi. Je me retourne. Trois silhouettes émergent du couvert des arbres et se précipitent vers moi.

— On t'a eue ! s'exclame Charlotte en s'avançant dans la lumière.

Madeline la suit. Puis Laurel apparaît, une cagoule de ski dans les mains. Elle semble sur le point de pleurer. Ethan les regarde, bouche bée.

— C'était une blague ?

— Évidemment, dit Madeline en se baissant pour ramasser la caméra. Sutton le savait depuis le début.

Ethan se plante devant moi en une attitude protectrice.

— Vous avez failli la tuer.

Les filles s'interrompent et échangent un coup d'œil. Laurel s'humecte les lèvres. Madeline glisse la caméra dans son sac. Charlotte renifle et envoie ses cheveux par-dessus son épaule.

— Et toi, tu peux m'expliquer pourquoi tu nous suivais comme un petit chien ?

Ethan me dévisage de nouveau. Humiliée, je me détourne. Avec un geste découragé, il recule vers les buissons. Mais alors que Madeline se penche pour couper les cordes qui me lient les mains, nos regards se croisent de nouveau. J'articule un « Merci » silencieux. Les battements de mon cœur ont retrouvé leur rythme normal. Résigné, Ethan hoche la tête. « De rien », articule-t-il en retour.

Alors, tout vire au noir une fois de plus. Ma mémoire bute contre le fond d'une nouvelle impasse.

32

L'AMÈRE VÉRITÉ

Dans la voiture, Ethan dévisageait toujours Emma avec attention. Il demanda :

— Que se passe-t-il ?

— Je suis Sutton, répéta Emma en tremblant. Je le jure.

— Non, tu n'es pas Sutton, répliqua Ethan avec un sourire triste. Dis-moi la vérité, d'accord ?

Emma fixa ses dents qui brillaient dans le noir. Puis elle jeta un coup d'œil au désert qui les entourait. Une pensée terrible la foudroya comme un éclair. Ethan avait l'air sûr de lui. Mais comment pouvait-il l'être, à moins que... ?

— C'est... c'est toi qui l'as tuée ? balbutia-t-elle. C'est pour ça que tu es au courant ?

Ethan eut un mouvement de recul. Il cligna des yeux tandis que son visage prenait une couleur de cendre.

– Tuée ? répéta-t-il. Sutton est morte ?

Emma se mordit la lèvre. Ethan semblait effondré.

– Elle a été assassinée, expliqua-t-elle d'une toute petite voix. Je crois que quelqu'un l'a étranglée. Quelqu'un qu'elle connaissait. Je l'ai vu en vidéo.

Ethan fronça les sourcils.

– Étranglée ?

– Avec ce collier. (Emma le sortit du décolleté de sa robe pour le lui montrer.) Dans les bois. Ses amies ont tout filmé. Elles ont même mis le clip sur Internet.

Le regard d'Ethan glissa vers la droite. Une expression horrifiée passa sur sa figure comme la lumière se faisait dans son esprit.

– Oh… Oh !

– Quoi ?

Il se renfonça dans son siège et se couvrit le visage de ses mains.

– Sutton portait-elle un bandeau dans cette vidéo ?

– Oui, pourquoi ?

Il prit une grande inspiration et regarda de nouveau Emma.

– J'étais là cette nuit.

La jeune fille cligna des yeux.

– Comment ça, tu étais là ?

– Je faisais un tour à vélo quand j'ai vu passer une voiture familière, révéla Ethan. J'ai reconnu l'autocollant « MAFIA DU LAC DES CYGNES » sur le pare-chocs – on m'avait attribué la place de parking voisine de celle de Madeline l'an dernier. Ça m'était resté.

Emma déglutit.

– Je ne sais pas pourquoi, mais quelque chose m'a poussé à les suivre jusqu'à une clairière, poursuivit Ethan. Le temps que j'arrive, elles avaient installé leur caméra et commencé à étrangler Sutton. Je ne comprenais pas ce qui se passait ni pourquoi elles faisaient ça, mais on aurait vraiment dit qu'elles allaient la tuer.

Emma écouta sans bouger tandis qu'Ethan lui racontait ce qui s'était passé. Au moment où Sutton perdait connaissance, il avait fait irruption dans la clairière. Les filles avaient hurlé et s'étaient enfuies, faisant tomber la caméra de son trépied au passage. Ethan s'était précipité vers Sutton et avait essayé de lui détacher les mains.

– Elle respirait encore. Elle est revenue à elle.

À travers le pare-brise, Emma fixait le désert plongé dans le noir.

– Donc… c'est toi, la personne qui lui a enlevé son bandeau à la fin de la vidéo. C'est toi qui l'as sauvée ?

Ethan haussa les épaules.

– Je suppose que oui. (Il se racla la gorge et reprit :) Mais après cette nuit, je n'ai pas eu de nouvelles de Sutton. Bien sûr, elle ne me devait rien, mais j'aurais apprécié… je ne sais pas. De vrais remerciements, peut-être. Alors, quand tu es venue me voir pendant la soirée de Nisha, j'ai pensé que c'était pour ça. Mais tu n'en as pas parlé du tout, et tu avais l'air différente. L'histoire de l'étoile Pétasse… ton sens de l'humour…

« Après ça, chaque fois que je t'ai vue, je n'ai pas pu me défaire de cette impression. Tu étais gentille, et drôle, et intéressante, et... capable de remords. La Sutton que je connaissais — celle que tout le monde connaissait — n'aurait jamais regretté aucune de ses sales blagues. Jamais. Alors, j'ai commencé à me demander si elle ne souffrait pas de schizophrénie. Ou si elle n'avait pas eu une révélation qui l'avait, disons, radoucie. (Il pressa ses pouces sur ses yeux fermés.) Je ne savais pas ce qui se passait, mais je me rendais compte que j'étais en train de craquer pour elle.

— C'était moi, dit Emma à voix basse, en regardant ses mains posées sur ses cuisses. C'était moi le soir de la fête de Nisha, et toutes les fois où tu m'as vue après. Pas Sutton.

Ethan passa la langue sur ses dents et acquiesça lentement.

— Alors... qui es-tu ?

Un pétard éclata dans le lointain. Après la détonation, Emma prit une grande inspiration.

— Je suis la jumelle de Sutton. Sa jumelle perdue à la naissance. Nous ne nous sommes jamais rencontrées. Je n'ai pas pu la voir une seule fois.

Ethan la dévisagea sans ciller.

— Attends un peu. Sa jumelle perdue à la naissance ? Pour de vrai ? (Il secoua la tête.) Commence par le commencement, tu veux ?

Emma était si avide de raconter son histoire que les mots se bousculèrent hors de sa bouche, s'en déversèrent telle une cascade trop longtemps contenue.

— J'ai essayé de partir, expliqua-t-elle en arrivant au moment où elle avait reçu le message l'informant que Sutton était morte. Je ne voulais pas me retrouver coincée dans sa vie. Mais je crois que son assassin m'a vue à la gare routière. Plus tard, il ou elle m'a agressée chez Charlotte, en menaçant de me tuer si je tentais encore de quitter la ville.

Elle ferma les yeux. La sensation de la chaîne lui mordant le cou était aussi vivace que si la scène s'était produite quelques instants plus tôt.

– Les amies et la sœur de Sutton étaient les seules personnes qui savaient que j'avais tenté de m'enfuir. Et la maison des Chamberlain est une vraie forteresse. La personne qui m'a attaquée devait forcément venir de l'intérieur. Elle a essayé de m'étrangler comme les amies de Sutton l'ont étranglée cette nuit-là dans les bois. Quand elles l'ont tuée.

Ethan secoua la tête avec véhémence.

– Je ne dis pas que les amies de Sutton ne l'ont pas tuée, mais si elles l'ont fait, ce n'était pas la nuit où la vidéo a été tournée. Ça s'est passé deux semaines avant que tu arrives, et les filles sont parties après mon intervention. Sutton est montée en voiture avec elles ; elle allait bien.

– Elle est repartie avec les autres ? s'exclama Emma, choquée.

Une expression partagée passa sur le visage d'Ethan.

– Ses amies et elle faisaient souvent ce genre de blague.

– Je sais. (Emma se massa les tempes.) Mais je n'avais jamais réalisé qu'elles poussaient le bouchon aussi loin – qu'elles faisaient des choses aussi dangereuses.

Tout à coup, il se mit à pleuvoir. Les gouttes de pluie s'écrasaient sur le pare-brise comme autant de bombes miniatures. Emma regarda Ethan.

– Il faut que je m'en aille.

Le jeune homme se rembrunit.

– Où comptes-tu aller ?

– N'importe où. (Des larmes de terreur se remirent à couler sur les joues d'Emma.) Je prendrai le premier bus qui se présentera. Je ne peux pas rester à Tucson. C'est de la folie.

Ethan se radossa à son siège, dont le cuir crissa sous lui.

– Tu es sûre que c'est une bonne idée ?

– Que veux-tu dire ?

Il se tourna vers Emma en se mordant le pouce.

– C'est juste que... Tu as déjà essayé de partir, et ça n'a pas marché. Qui te dit que ça se passera mieux cette fois ?

– Mais... (Emma scruta frébrilement les hautes silhouettes des cactus.) C'est ma seule chance.

Un moment, ils gardèrent tous deux le silence. Au loin, une voiture de police passa à toute allure sur une route, ses lumières bleues et rouges trouant les ténèbres.

– Mais... commença Ethan sur un ton hésitant. Et si l'assassin voulait justement que tu t'en ailles ?

– Non. (Emma croisa les bras sur sa poitrine.) L'assassin veut que je reste ici et que je remplace Sutton.

– Écoute-moi. Si Sutton est vraiment morte, il se peut que la personne qui l'a tuée tente de te faire accuser à sa place. Elle sait que tu es une enfant placée et que tu as probablement eu la vie dure. Ça ne sera pas difficile à prouver. Si tu t'en vas, tout le monde se rendra compte que Sutton a disparu. Tu ne crois pas que le coupable s'empressera de prévenir les flics que tu te faisais passer pour elle depuis presque deux semaines ? Et tu ne crois pas que les soupçons se porteront immédiatement sur toi ?

Emma laissa ses mains retomber mollement sur ses cuisses. Ethan avait-il raison ?

– Sutton menait vraiment une vie de rêve, dit doucement le jeune homme en regardant, à travers le pare-brise, le croissant de lune qui se découpait dans le ciel. Elle était populaire, elle était riche, elle avait tout ce qu'elle voulait. Et d'après ce que tu viens de me dire... toi non. Pendant que Sutton grandissait dans une belle maison à Scottsdale, tu allais de famille d'accueil en famille d'accueil. Sérieusement, Emma – ce n'est pas juste. À ta place, des tas de gens auraient été prêts à tout pour changer de place avec leur jumelle.

Emma en resta bouche bée.

– Jamais je ne l'aurais tuée !

Ethan agita les mains.

– Je sais bien que non. Mais... certaines personnes présument toujours le pire. Elles pourraient te juger sans te connaître vraiment.

Emma cligna des yeux. Elle eut l'impression que les parois de la voiture se resserraient autour d'elle. Elle savait très bien qu'Ethan disait vrai. Il n'y avait qu'à voir Clarice : elle avait supposé que c'était Emma – et non pas son petit voyou de fils – qui lui avait volé de l'argent, juste parce que Emma était une enfant placée, donc forcément une mauvaise graine.

– Oh, mon Dieu, chuchota la jeune fille en se couvrant la tête de ses bras.

Ethan avait raison. Il se pencha vers elle et, après un instant d'hésitation, la prit dans ses bras. Il la serra très fort contre lui et enfouit son menton au creux du cou d'Emma, tandis que de gros sanglots secouaient le corps de la malheureuse.

Je les regardai s'accrocher l'un à l'autre pendant quelques minutes. J'aurais tellement voulu être à la place d'Emma ! Moi aussi, j'avais besoin que quelqu'un me réconforte. Pourquoi pas Ethan ?

Puis Ethan s'écarta d'Emma et la dévisagea, ses yeux clairs plissés par l'inquiétude. Un sourire compatissant releva les coins de sa bouche si pleine qui appelait les baisers. Il avait sur la joue une trace noire qu'Emma eut envie de tendre la main pour l'essuyer.

– Mon Dieu, souffla-t-il. Tu lui ressembles vraiment trait pour trait.

– C'est toujours le cas avec les vrais jumeaux, répondit doucement Emma.

Elle esquissa un sourire tremblant, puis laissa échapper un nouveau sanglot. Ethan lui toucha le menton.

– Reste. Si Sutton a réellement été assassinée, nous découvrirons qui a fait ça.

– Je ne sais pas, murmura Emma.

– Tu ne peux pas laisser le coupable s'en sortir à si bon compte, insista Ethan. Je t'aiderai. Je te le promets. Et quand nous tiendrons une preuve, nous pourrons aller voir les flics. Cette fois, ils seront obligés de te croire.

La pluie s'arrêta aussi brusquement qu'elle avait commencé. Au loin, un coyote hurla. Emma avait l'impression qu'elle retenait son souffle depuis des heures. Elle plongea son regard dans les yeux bleu océan d'Ethan.

— D'accord, chuchota-t-elle. Je reste.

— Super.

Ethan se pencha vers elle et lui pressa une épaule. Emma ferma les yeux. Le contact de la main du jeune homme sur sa peau nue projetait des étincelles tout le long de sa colonne vertébrale. Elle espéra qu'elle avait pris la bonne décision – qu'elle ne venait pas de commettre une erreur monumentale.

Franchement, je l'espérais aussi.

33

GARE À VOUS, SUTTON EST DE RETOUR

Un peu plus tard, Ethan déposa Emma au bout de l'allée des Mercer. Toutes les lumières de la maison étaient encore allumées, même si les voitures des invités avaient disparu. Quand Emma ouvrit la porte d'entrée, Drake lui sauta dessus pour lui lécher le bras. La peur ne la paralysait plus chaque fois que le gros chien s'approchait d'elle ; sans doute avait-elle fini par s'habituer à lui.

– Te voilà ! (Laurel sortit du salon en courant et vint jeter ses bras autour du cou d'Emma.) On t'a cherchée partout ! (Puis elle s'écarta et détailla la jeune fille de la tête aux pieds.) Qu'est-ce qui t'a pris de t'enfuir comme ça ? On aurait dit que l'allée était en feu !

– J'avais juste besoin d'être seule, répondit Emma en espérant que le mensonge qu'elle avait concocté dans la voiture d'Ethan serait crédible. Je... Il s'est passé un truc bizarre avec Garrett.

Laurel avait les yeux grands comme des soucoupes.

— Quoi ?

Emma la suivit au salon. Elle se laissa tomber sur la bergère et serra un des coussins contre sa poitrine.

— C'est une longue histoire.

Elle regarda la console de l'autre côté de la pièce. Quelqu'un y avait déposé tous les cadeaux qu'elle n'avait pas ouverts. Elle se demanda si la chambre de Sutton ressemblait toujours à une suite nuptiale.

— Mais sinon, tu t'es bien amusée ? s'enquit Laurel, pleine d'appréhension.

Emma détourna les yeux.

— Oh, oui. Carrément, mentit-elle.

La soirée avait été... très instructive. Mais amusante ? Sûrement pas. Terrifiante, plutôt.

— Tu n'étais pas... en colère ? insista Laurel en jouant avec les glands d'un des coussins du fauteuil sur lequel elle avait pris place. Charlotte nous a dit que tu avais été dans ma chambre et que tu avais peut-être... vu quelque chose. Et presque immédiatement après, tu t'es enfuie devant nous comme si tu avais le diable aux trousses...

Emma se laissa aller parmi les coussins de la bergère. Même si elle voulait dire à Laurel qu'elle avait vu la vidéo, même si elle voulait croire que la sœur de Sutton était innocente, elle n'osait pas lui faire confiance.

Toutes les choses qu'elle devait faire se bousculaient dans sa tête. Selon Ethan, la vidéo de strangulation avait été tournée presque un mois auparavant, et non pas la veille de l'arrivée d'Emma à Tucson Cela signifiait que Sutton avait encore vécu deux semaines après ça. Pour ce qu'Emma en savait, le mauvais tour joué par ses amies et sa sœur n'avait rien à voir avec sa mort. Mais que s'était-il passé entre les deux événements ?

Emma leva les yeux et dévisagea froidement Laurel. Subitement, elle savait ce qu'elle avait à faire.

– C'est vrai, j'ai vu quelque chose dans ta chambre, lâcha-t-elle sur un ton monocorde.

Laurel devint blanche comme un linge.

– Quoi ?

Emma se leva et s'approcha lentement de l'adolescente. Quand elle lui mit les mains autour du cou, cette dernière hoqueta et ouvrit de grands yeux effrayés.

– Sutton ! gémit-elle.

Emma se figea. Un moment, elle garda les mains autour du cou de Laurel, sans serrer. Puis elle lâcha l'adolescente, leva les yeux au ciel et lui donna une petite tape sur la joue.

– Je t'ai eue, pétasse.

Le soulagement mit quelques secondes à s'inscrire sur le visage de Laurel, qui s'affaissa dans son fauteuil en passant les mains sur sa gorge.

– Tu es vraiment démoniaque.

– Je sais. Mais maintenant, on est quittes, répliqua Emma sur un ton désinvolte en regagnant la bergère.

Pourtant, ce fut avec des mains tremblantes qu'elle déplaça un coussin qui la gênait. Ça n'allait pas être facile. Elle était de retour à la case départ. N'importe qui pouvait être le coupable à présent. Tout le monde était suspect.

— Et voilà la reine du jour ! s'exclama la voix de Mme Mercer dans le couloir.

La mère de Sutton entra dans le salon. Son mari la suivait avec quatre cupcakes sur une assiette rose. Une bougie crépitante était plantée dans le plus gros, qu'il déposa sur la table basse devant Emma. *Velours rouge* — son parfum préféré.

Mme Mercer se percha sur l'ottomane et leva les mains tel un chef d'orchestre.

— Prêts ?

Toute la famille se lança dans une interprétation tonitruante de « Joyeux anniversaire ». La voix de M. Mercer vibrait dans les notes aiguës, et Laurel chantait particulièrement faux, mais c'était la première fois qu'Emma faisait l'objet d'une telle attention par un aussi grand nombre de personnes.

Lorsqu'ils eurent terminé, Mme Mercer passa un bras autour des épaules d'Emma. M. Mercer l'imita, suivi par Laurel.

— Bon anniversaire, ma chérie, dit Mme Mercer. On t'aime.

— Maintenant, fais un vœu, lui recommanda M. Mercer.

Sur le cupcake, la bougie crépitante jetait de joyeuses étincelles. Emma se pencha et ferma les yeux. Elle souhaitait la même chose tous les 10 septembre depuis la disparition de Becky : une famille. Et d'une façon assez incroyable — à l'envers, aurait-on pu dire —, son vœu avait fini par se réaliser. Mais cette fois, elle avait une préoccupation plus importante, quelque chose qui éclipsait tout le reste. Elle voulait trouver l'assassin de sa jumelle, une bonne fois pour toutes.

Je me penchai avec Emma. C'était aussi ce que je voulais, de tout mon cœur. Même les filles mortes ont droit à un vœu d'anniversaire.

Emma répéta son souhait une fois, deux fois, trois fois dans sa tête et souffla très fort, comme pour disperser tout son passé. La bougie clignota et s'éteignit. Tout le monde applaudit, et Emma sourit.

Moi aussi. Ma sœur avait soufflé la bougie du premier coup. Ce qui signifiait que notre vœu allait forcément se réaliser.

ÉPILOGUE

Cette nuit-là, alors qu'Emma se préparait pour se mettre au lit, je traînai dans mon ancienne chambre, réfléchissant. Observant les objets qui avaient été miens. Attendant que des souvenirs se manifestent – mais en vain.

Les trois flash-back que j'avais eus tournaient en boucle dans ma tête. Les gloussements cruels de mes amies. La chaîne qui m'étranglait. L'expression désespérée d'Ethan avant que je me remette à respirer. Mais que s'était-il passé après la fin de ce souvenir – et de la vidéo ? Mes amies ne m'avaient peut-être pas tuée cette nuit-là, mais quelqu'un l'avait fait plus tard. Ça pouvait très bien être Madeline, Charlotte ou Laurel... Mais ça pouvait tout aussi bien être quelqu'un d'autre. Et le coupable était très doué pour ne rien laisser paraître.

Il restait trop de possibilités et trop de questions en suspens. Qu'avais-je fait pour mériter que mes amies me jouent un tour aussi horrible ? Le Jeu du Mensonge était entièrement basé sur l'escalade ; son principe voulait que les membres inventent des blagues de plus en plus scabreuses. Qu'est-ce qui avait justifié que les autres manquent me tuer ?

Et pourquoi les pauvres Jumelles Twitteuses étaient-elles exclues du saint des saints ? Elles affirmaient avoir des tas d'idées « mortelles » dans leur manche − c'était le mot qu'elles avaient employé. Et quel mystère se cachait derrière la disparition de Thayer Vega ? Saurions-nous un jour ce qu'il était devenu ? Emma et moi découvririons-nous en quoi j'étais peut-être impliquée dans sa fugue ? Un type qui se volatilise juste avant le meurtre d'une fille qui lui a fait du mal, c'est louche, non ?

Je regardai Emma s'endormir avec une expression paisible et innocente. J'aurais bien voulu passer une journée avec elle, ou même seulement une heure. J'aurais bien voulu pouvoir lui chuchoter des conseils à l'oreille. *Ne dors jamais que d'un œil. Ne tiens rien pour acquis. Tes meilleures amies sont peut-être tes pires ennemies.* Surtout, j'aurais voulu lui dire de ne pas me faire confiance. Sans que je sache comment ni pourquoi, quelque chose tout au fond de moi me soufflait que j'étais la plus machiavélique des membres du Jeu du Mensonge − et de loin.

Fais de beaux rêves, ma jumelle perdue à la naissance. Je te verrai demain matin − même si toi, tu ne me verras pas.

REMERCIEMENTS

Ouah, c'est drôlement dur de commencer une nouvelle série ! J'avais oublié à quel point, et je n'aurais pas réussi sans l'aide de Lanie Davis, Sara Shandler, Josh Bank, Les Morgenstein d'Alloy Entertainment, ainsi que Farrin Jacobs et Kari Sutherland de chez Harper Teen. En m'aidant à perfectionner la narration et la structure, puis à peaufiner les minuscules détails qui font la crédibilité et le sel d'une histoire, vous avez tous grandement contribué à ce que ce premier tome du *Jeu du Mensonge* fonctionne correctement. Je ne saurais trop vous manifester ma reconnaissance pour vos encouragements et votre soutien de ces derniers mois – surtout Lanie qui a dû corriger ce texte, quoi, six fois ? Nous formons une bonne équipe, et j'espère que nous continuerons à travailler ensemble très, très longtemps.

Un grand merci également à Andy McNicol et Anais Borja de chez William Morris pour leur supervision et leur enthousiasme. À Kristin Marang d'Alloy Entertainment pour sa créativité et son esprit, et à Liz Dresner pour avoir conçu la très belle couverture de la version originale. À Joel, mon mari, qui a lu une des toutes dernières versions et m'a dit (même si je voulais qu'il se taise parce qu'à ce stade, je n'avais plus envie d'écrire une seule phrase !) ce qui ne fonctionnait pas et comment y remédier. À mon grand ami Andrew Zaeh, qui a appris à surfer plus vite que n'importe qui d'autre de ma connaissance – gare aux Mini Marts de la Mort ! À mes parents, Mindy et Shep – vive les festivals régionaux qui font peur –, à ma sœur Ali – le hibou ! – et à Caron et Melissa Crooke, le genre de filles avec qui vous ne devriez jamais aller au resto mexicain à moins de vouloir ressortir complètement soûle. Un immense merci à tous les lecteurs que j'ai rencontrés, cette année et les précédentes, pour être venus me voir et m'avoir fait part de vos avis. Vous êtes géniaux, tous jusqu'au dernier !

Et parce que je vous aime beaucoup trop pour perdre un seul d'entre vous, je vous supplie de ne pas essayer de reproduire les vilaines blagues du *Jeu du Mensonge*. J'espère que vous serez d'accord avec moi quand je dis que ce qui se passe dans les pages du *Jeu du Mensonge* doit rester dans les pages du *Jeu du Mensonge*... et ne jamais en sortir.

L'AUTEUR

Sara Shepard est originaire de Pennsylvanie. Diplômée de littérature à l'université de Brooklyn, elle est l'auteur de la série best-seller *Les Menteuses*. *Le Jeu du Mensonge* est adapté en une série télévisée qui a débuté en août 2011 aux États-Unis. Sara Shepard vit actuellement à Tucson, en Arizona, avec son mari.

FLEUVE NOIR
12, avenue d'Italie
75627 Paris Cedex 13

Composé par Facompo
5, rue Calmette-et-Guérin, 14100 Lisieux

Cet ouvrage a été imprimé
en décembre 2011 par

FIRMIN-DIDOT

27650 Mesnil-sur-l'Estrée
N° d'impression : 108505
Dépôt légal : janvier 2012

Imprimé en France